Alberto Mazzetti
Marina Falcinelli - Bianca Servadio

DOCENTI NELL' UNIVERSITÀ ITALIANA PER STRANIERI DI PERUGIA

Qui Italia

Corso di lingua italiana per stranieri

PRIMO LIVELLO

2

QUADERNO DI ESERCITAZIONI PRATICHE

Le Monnier

Redazione di GABRIELLA ATZENI

Progetto, coordinamento grafico e copertina di PATRIZIA INNOCENTI

Edizione:

3	4	5	6
1997	1998	1999	2000

ISBN 88-00-85249-1

C.M. 852.496

19894-9 – Stabilimenti Tipolitografici «E. Ariani» e «L'Arte della Stampa» della S.p.A. Armando Paoletti – Firenze

NOTE AL QUADERNO

Il testo contiene una serie di applicazioni pratiche in cui si passa da esercizi che richiedono il rispetto rigoroso di un modello ad attività in cui lo studente è chiamato a fare scelte linguistiche sempre meno guidate.

In ogni unità sono presenti *esercizi* ed *attività*.

Gli *esercizi* (di completamento, di trasformazione, di collegamento, ecc.) concentrano l'attenzione dello studente su un elemento ben individuato per consentirgli di raggiungere «la padronanza di un meccanismo linguistico e/o comunicativo».

Le *attività*, stimolando lo studente ad un uso più creativo della lingua per risolvere problemi di natura comunicativa, consentono di esercitare le quattro abilità linguistiche di base:

– la *comprensione orale*, attraverso l'ascolto di testi registrati;

– la *produzione orale*, in rubriche fisse (descriviamo...; raccontiamo...; confrontiamo...; il lavoro a coppie, con assunzione e/o creazione di ruoli);

– la *comprensione scritta*, attraverso la lettura di testi autentici e non autentici;

– la *produzione scritta*, attraverso lo stimolo a produrre testi significativi.

GLI AUTORI

Legenda simboli

Testo registrato sulla cassetta

Comprensione orale

Produzione orale: lavoro individuale

Produzione orale: lavoro a coppie

Comprensione scritta

Produzione scritta

Canzone

Unità 1

A. *Completate secondo il modello:*

> Juan è spagnolo / Madrid
> Juan è di Madrid.

1. Yoko è giapponese / Osaka
....
2. Ivana è russa / Pietroburgo
....
3. Klaus è svizzero / Lucerna
....
4. Alina è polacca / Cracovia
....
5. Peter è olandese / Amsterdam
....
6. Abdul è marocchino / Fez
....

B. *Completate:*

1. Hans è tedesc.....
2. Eva è tedesc.....
3. Laurent è frances.....
4. Angela è italian.....
5. Hiro è giappones.....
6. Ivan è russ.....
7. Mary è ingles.....
8. Pedro è spagnol.....
9. Fatima è marocchin.....
10. Claudia è svizzer.....
11. Mario è italian.....
12. Lucia è olandes.....

C. *Completate secondo il modello:*

> John è di New York.
> È americano.

1. Thomas è di Monaco.
....
2. Pierre è di Parigi.
....
3. Anastasia è di Atene.
....
4. Ingrid è di Stoccolma.
....
5. Fabio è di Milano.
....
6. Irene è di Vienna.
....
7. Peter è di Berna.
....
8. Pina è di Madrid.
....
9. Peter è di Amsterdam.
....
10. Irina è di Mosca.
....
11. Sandy è di Sidney.
....
12. Paul è di Oxford.
....

D. *Completate secondo il modello:*

> Alberto è italiano.
> Anch'io sono italiano.

1. Paul è straniero.
Anch'io...
2. Marta è italiana.
Anche Lucio ....

3. Alain è francese.
   Anch'io ....
4. Sebastian è tedesco.
   Anche tu ....
5. Giovanni è greco.
   Anche Angelo e Dimitri ....
6. Peter è inglese.
   Anche voi ....
7. Claudia è seduta.
   Anche Bianca e Marina ....
8. Enrico è in Italia.
   Anche Elena ....
9. Jane è in classe.
   Anche noi ....
10. Robert è a Roma.
    Anche Ted e Paul ....
11. Bruno è a scuola.
    Anche Laura e Chiara ....
12. Carlo è in piedi.
    Anche noi ....

E. *Completate secondo i modelli:*

Nell'aula / Ingrid Nell'aula c'è Ingrid.	Nell'aula / Ingrid e Robert Nell'aula ci sono Ingrid e Robert.

1. Nell'aula / gli studenti
   ....
2. Nell'aula / la professoressa
   ....
3. Nell'aula / una ragazza tedesca
   ....
4. Nell'aula / un ragazzo danese
   ....
5. In Italia / molti stranieri
   ....
6. A Firenze / molti turisti
   ....
7. Sul banco / il libro di Ingrid
   ....
8. Sul banco / i fogli
   ....
9. Sul tavolo / la borsa della professoressa
   ....
10. Nella borsa / i soldi
    ....
11. Nella borsa / il portafoglio
    ....
12. Nella borsa / le chiavi
    ....

F. *Trasformate secondo il modello:*

È un banco. Sono (dei) banchi.

1. È una penna.
   ....
2. È un libro.
   ....
3. È un foglio.
   ....
4. È una sedia.
   ....
5. È una chiave.
   ....
6. È una macchina.
   ....
7. È un quaderno.
   ....
8. È una matita.
   ....
9. È un tavolo.
   ....
10. È un giornale.
    ....
11. È un gettone.
    ....
12. È una professoressa.
    ....
13. È una lavagna.
    ....
14. È una borsa.
    ....

G. *Completate con l'articolo determinativo:*

..... borsa	..... giornale	..... sedia	..... amica
..... chiave	..... ingegnere	..... porta	..... commessa
..... finestra	..... lavagna	..... amico	..... magazzino
..... corso	..... libro	..... festa	..... professoressa
..... quaderno	..... tavolo	..... foglio	..... portafoglio

H. *Completate con l'articolo indeterminativo:*

..... borsa	..... giornale	..... sedia	..... amica
..... chiave	..... ingegnere	..... porta	..... commessa
..... finestra	..... lavagna	..... amico	..... magazzino
..... corso	..... libro	..... festa	..... professoressa
..... quaderno	..... tavolo	..... foglio	..... portafoglio

I. *Trasformate secondo il modello:*

> La penna è sul banco.
> Le penne sono sul banco.

1. Il giornale è sul tavolo.
....
2. Il banco è nell'aula.
....
3. La chiave è nella borsa.
....
4. Il libro è sul tavolo.
....
5. Il foglio è nella borsa.
....
6. La borsa è sul tavolo.
....
7. La sedia è nell'aula.
....
8. La finestra è nell'aula.
....
9. Il quaderno è sul banco.
....
10. La fotografia è nella borsa.
....

L. *Trasformate secondo il modello:*

> La signora è italiana.
> Le signore sono italiane.

1. La signorina è seduta.
....
2. La finestra è aperta.
....
3. Il professore è bravo.
....
4. La studentessa è straniera.
....
5. Il libro è chiuso.
....
6. Il quaderno è aperto.
....
7. La signora è francese.
....
8. Il giornale è interessante.
....
9. La porta è chiusa.
....
10. Il libro è nuovo.
....
11. La lavagna è nera.
....
12. Il tavolo è piccolo.
....

M. *Completate secondo il modello:*

> – tavolo / fogli
> Sul tavolo ci sono dei fogli.
>
> – borsa / matita
> Nella borsa c'è una matita.

1. banco / libri

....

2. borsa / fotografie

....

3. tavolo / foglio

....

4. aula / sedie

....

5. banco / giornale

....

6. tavolo / matita

....

7. tavolo / quaderni

....

8. borsa / orologio

....

9. portafoglio / fotografia

....

10. aula / lavagna

....

Chi è?

1. Sophia Loren

2. Frank Sinatra

3. Luciano Pavarotti

4. Lucio Dalla

5. Vincent Van Gogh

6. Alain Delon

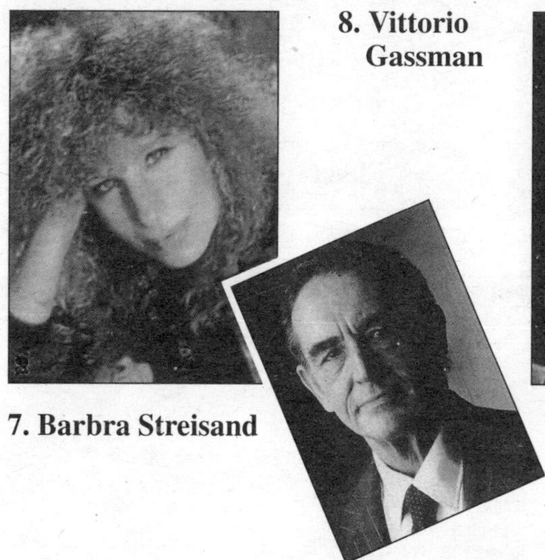

8. Vittorio Gassman

7. Barbra Streisand

9. Pablo Picasso

Completate lo schema:

Nome	Cognome	Professione	Nazionalità
1. Sophia	Loren	attrice	italiana
2.	....	cantante	....
3.	....	tenore	....
4.	....	cantante	....
5.	....	pittore	....
6.	....	attore	....
7.	....	cantante	....
8.	....	attore	....
9.	....	pittore	....

Rispondete secondo l'esempio:

1. Chi è Sophia Loren? Sophia Loren è un'attrice italiana..
2. Chi è Frank Sinatra? ....
3. Chi è Luciano Pavarotti? ....
4. Chi è Lucio Dalla? ....
5. Chi è Vincent Van Gogh? ....
6. Chi è Alain Delon? ....
7. Chi è Barbra Streisand? ....
8. Chi è Vittorio Gassman? ....
9. Chi è Pablo Picasso? ....

Ascoltate il testo e indicate con una × chi è in casa e chi non è in casa:

	Marco	Anita	Elena	Lino
c'è				
non c'è				

● ● ● ● ● ● ● ● ● ● ● ● ● ● ●

N. *Completate secondo il modello:*

> Io ho molti amici.
> Anche noi abbiamo molti amici.

1. Io ho una macchina francese.
   Anche noi ....
2. Lei ha un gatto.
   Anche loro ....
3. Lui ha molti amici stranieri.
   Anche loro ....
4. Tu hai un cane?
   Anche voi ....?
5. Tu hai un amico russo?
   Anche voi ....?
6. Lui ha pochi amici.
   Anche loro ....

O. *Completate secondo il modello:*

> Noi abbiamo pochi amici.
> Anch'io ho pochi amici.

1. Loro hanno una macchina nuova.
   Anche lui ....
2. Noi abbiamo una casa piccola.
   Anch'io ....
3. Voi avete molti soldi.
   Anche tu ....
4. Voi avete una macchina italiana.
   Anche tu ....
5. Loro hanno una bella camera.
   Anche lei ....
6. Anna e Manuela hanno un professore molto bravo.
   Anche Carlo ....

P. *Completate secondo il modello:*

FIAT

FIAT	Io .... una macchina ....
	Io ho una macchina italiana.

Mercedes

1. Tu .... una macchina ....

Volkswagen

2. Dino .... una macchina ....

Porsche

3. Massimo .... una macchina ....

Volvo

4. Clara .... una macchina ....

Lancia

5. Noi............................ una macchina ....

Maserati

6. Voi....................... una macchina ....

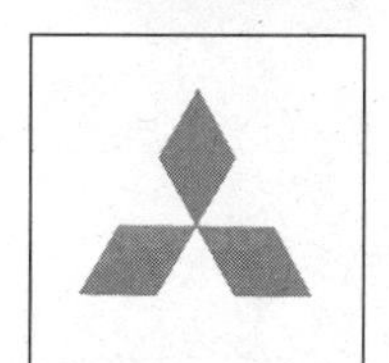

Mitsubishi

7. I miei amici .... una macchina ....

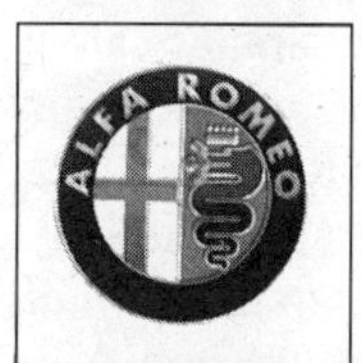

Alfa Romeo

8. Gli amici di Daniel ... . una macchina ....

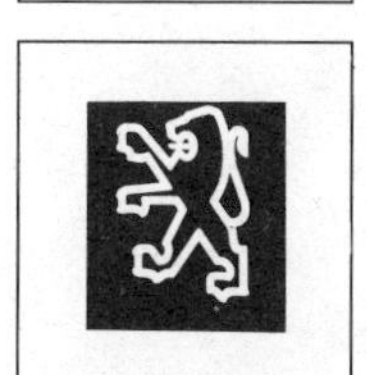

Peugeot

9. Io .... una macchina ....

Rover

10. Tu .... una macchina ....

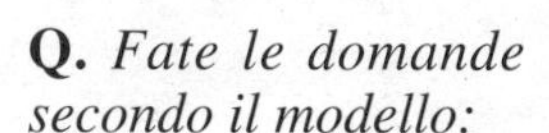

Q. *Fate le domande secondo il modello:*

Chiedete a Massimo se ha il libro d'italiano.
Massimo, hai il libro d'italiano?

1. Chiedete a Massimo se ha la macchina. ....
2. Chiedete a Massimo se ha un'amica greca. ....
3. Chiedete a Massimo se ha molti amici. ....
4. Chiedete a Massimo se ha un amico russo. ....
5. Chiedete a Massimo se ha una bella casa. ....
6. Chiedete a Massimo se ha un professore bravo. ....

R. *Fate le domande secondo il modello:*

Chiedete a Massimo e a Lino se hanno il libro d'italiano.
Avete il libro d'italiano?

1. Chiedete a Massimo e a Lino se hanno una bella camera.

....

2. Chiedete a Massimo e a Lino se hanno un professore bravo.

....

3. Chiedete a Massimo e a Lino se hanno molti amici.

....

4. Chiedete a Massimo e a Lino se hanno una macchina italiana.

....

5. Chiedete a Massimo e a Lino se hanno un amico russo.

....

6. Chiedete a Massimo e a Lino se hanno una casa grande.

....

S. *Completate:*

1. Vittorio Gassman è .... attore italian........
2. Luciano Pavarotti è .... tenore italian........
3. Barbra Streisand è .... cantante american........
4. Vincent Van Gogh è .... pittore olandes........
5. Pablo Picasso è .... pittore spagnol........
6. Frank Sinatra è .... cantante american........
7. Gianna Nannini è .... cantante italian........
8. Alain Delon è .... attore frances........
9. Sophia Loren è .... attrice italian........
10. Lucio Dalla è .... cantante italian........
11. Modigliani è .... pittore italian........
12. Marcello Mastroianni è .... attore italian........

T. *Completate con le preposizioni:*

1. Giovanni è greco, ... Atene.
2. Alì è .... Italia .... studiare l'italiano.
3. La professoressa è .... Università.
4. Enrico è studente .... medicina.
5. Valeria è commessa .... un grande magazzino.
6. Gli studenti sono .... aula.
7. La borsa di Cornelia è .... sedia.
8. Il libro .... Karl è .... tavolo.
9. Le penne .... Hiro sono .... borsa.
10. Marta è .... piedi, Filippo è seduto.
11. I fogli sono .... cassetto.
12. .... banco ci sono le sigarette .... Ingrid.

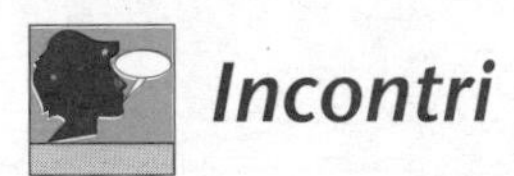

Incontri

Descrivete le foto.
Immaginate i dialoghi fra le varie persone che si presentano e si salutano:

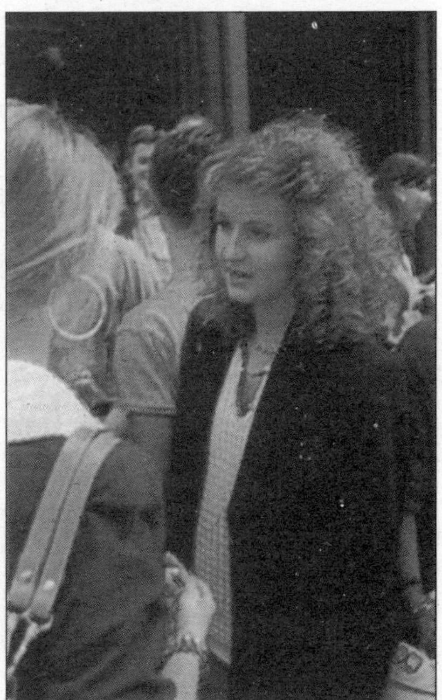

Unità 2

A. *Collegate secondo l'esempio:*

1.

io	lavora
tu	lavorate
lui/lei	lavori
noi	lavorano
voi	lavoro
loro	lavoriamo

2.

io	leggono
tu	legge
lui/lei	leggete
noi	leggo
voi	leggiamo
loro	leggi

3.

io	partiamo
tu	parti
lui/lei	partono
noi	partite
voi	parto
loro	parte

B. *Completate secondo il modello:*

Io lavoro in banca.
Noi lavoriamo in fabbrica.

1. Io mangio sempre a casa.
   Noi .... sempre al ristorante.
2. Io scrivo una lettera.
   Noi .... una cartolina.
3. Io capisco bene il francese.
   Noi .... bene il tedesco.
4. Io dormo poco.
   Noi .... troppo.
5. Tu parli bene lo spagnolo.
   Voi .... bene l'inglese.
6. Tu conosci bene Milano.
   Voi .... bene Napoli.
7. Tu finisci di lavorare tardi.
   Voi .... di studiare presto.
8. Tu parti domani.
   Voi .... stasera.
9. Paola ascolta la musica classica.
   Carla e Lucia .... la musica leggera.
10. Il signor Nardi prende spesso l'autobus.
    I signori Corsetti .... spesso il treno.
11. Laura preferisce il tè al caffè.
    Le amiche di Laura .... il caffè al tè.
12. Pietro apre la porta.
    Pino e Gianni .... la finestra.

C. *Completate secondo il modello:*

Noi restiamo a casa stasera.
Anch'io resto a casa stasera.

1. Noi compriamo il giornale.
   Anch'io...
2. Voi arrivate sempre in ritardo.
   Anche tu ....
3. Paolo e Gino fumano.
   Anche Lino..
4. Luana e Cristina cercano un appartamento.
   Anche Giulia ....
5. Noi beviamo solo acqua minerale.
   Anch'io...
6. Voi conoscete molti italiani.
   Anche tu ....
7. I Rossi vendono la casa in campagna.
   Anche il signor Gardi ....
8. Noi leggiamo un libro.
   Anch'io...
9. Noi preferiamo fare le vacanze al mare.
   Anch'io...
10. Voi dormite in albergo stanotte.
    Anche tu ....
11. Tom e Peter capiscono il francese.
    Anche Ingrid ....
12. Tom e Peter aprono il libro d'italiano.
    Anche Ingrid ....

D. *Completate secondo il modello:*

Tu spendi troppo.
Io, invece, spendo poco.

1. Tu cominci a lavorare alle 8.
   Io, invece, ... a lavorare alle 7.
2. Lui vive al centro.
   Loro, invece, ... in periferia.
3. Noi preferiamo il caffè con lo zucchero.
   Lui, invece, ... il caffè senza zucchero.
4. Lucia abita da sola.
   Io, invece, ... con un'amica.
5. Voi mangiate molti dolci.
   Noi, invece, ... pochi dolci.
6. Io prendo sempre l'ascensore.
   Tu, invece, non .... mai l'ascensore.
7. Carlo e Lino dormono in albergo stanotte.
   Pina, invece, ... a casa della sua amica.
8. Tu ascolti sempre la radio in macchina.
   Carlo, invece, ... sempre le cassette.

9. Grazia spedisce una lettera.
   Io, invece, ... una cartolina.
10. Noi facciamo sempre gli esercizi.
   Voi, invece, non .... mai gli esercizi.
11. I miei amici viaggiano sempre con la macchina.
   Io, invece, ... sempre con il treno.
12. Gino e Roberto fanno sempre colazione al bar.
   Marta, invece, ... sempre colazione a casa.

E. *Fate le domande secondo il modello:*

> Chiedete ad un amico se guarda la TV la sera.
> Guardi la TV la sera?

1. Chiedete ad un amico se legge il giornale la mattina.
   ....
2. Chiedete ad un amico se abita al centro o in periferia.
   ....
3. Chiedete ad un amico se vive da solo o con amici.
   ....
4. Chiedete ad un amico se capisce bene l'italiano.
   ....
5. Chiedete ad un amico se preferisce vivere in città o in campagna.
   ....
6. Chiedete ad un amico se ascolta la radio in macchina.
   ....
7. Chiedete ad un amico se preferisce il caffè dolce o amaro.
   ....
8. Chiedete ad un amico se sta bene in Italia.
   ....
9. Chiedete ad un amico se fa una passeggiata dopo la lezione.
   ....
10. Chiedete ad un amico se fuma molte sigarette.
   ....
11. Chiedete ad un amico se rimane a casa la sera.
   ....
12. Chiedete ad un amico se riceve molte lettere.
   ....

F. *Completate con il verbo indicato fra parentesi:*

1. Il padre di Mauro (finire) ....finisce....................... di lavorare alle 18 e (tornare) ....torna................. a casa con l'autobus.
2. Gli amici di Cristina (frequentare) .....frequentano.... un corso di francese a Parigi.
3. Alla pizzeria «Asterix» (noi - mangiare) ....mangiamo........... sempre delle buone pizze e non (spendere) .....spendono..................... molto.
4. «Che fai?». «(Telefonare) .....telefono................ a Marco, ma è sempre occupato».
5. (Noi - prendere) ....prendiamo.................. il caffè al bar ogni mattina.

6. Oggi (io - restare) .... a casa e (guardare) .... la partita alla TV.
7. «Che fai? (Scrivere) .... una lettera a Carlo?».
   «No, (scrivere) .... una cartolina a mia madre».
8. (Noi - pagare) .... 300.000 lire al mese per questo appartamento.
9. Dopo la lezione Anna (fare) .... una passeggiata al centro.
10. Carla (incontrare) .... il professore al bar ogni mattina.
11. Franco (frequentare) .... il primo anno di architettura.
12. (Io - passare) .... molte ore in biblioteca.

G. *Collegate secondo l'esempio:*

Il professore scrive alla lavagna	e fumi una sigaretta.
Parli al telefono	e beviamo un buon vino.
Oggi mangiamo gli spaghetti	e guardo la TV.
Comprano il giornale	e non capite bene la lezione.
Resto a casa	**e spiega le parole nuove**
Parlate troppo	e leggono le notizie sportive.

H. *Collegate secondo l'esempio:*

Carlo cerca	un giornale sportivo.
Mauro compra	il treno alla stazione.
Faccio	**la porta dell'aula**
Aspettiamo	una camera in affitto.
Ripetete	una passeggiata nel parco.
Gli studenti aprono	la lezione.

Uno straniero in Italia

Mi chiamo Christer Montini, sono svedese, di Lund. Ho 24 anni e sono studente di Economia e Commercio a Stoccolma. Sono in Italia per imparare la lingua italiana perché è utile per il mio lavoro e perché mio padre è italiano. Conosco l'inglese e il francese molto bene e parlo anche un po' d'italiano. Frequento un corso di lingua a Perugia; abito in centro, in via della Rondine 2, vicino all'Università. Vivo in un piccolo appartamento con un amico tedesco che si chiama Andreas.

Rispondete alle domande:

1. Come si chiama questo ragazzo?
2. Di che nazionalità è?
3. Di dove è?
4. Quanti anni ha?
5. Che cosa fa?
6. Perché è in Italia?
7. Perché studia la lingua italiana?
8. Quali lingue conosce?
9. Dove abita?
10. Con chi abita?

Rispondete alle domande:

1. E tu, come ti chiami?
2. Di che nazionalità sei?
3. Di dove sei?
4. Quanti anni hai?
5. Che cosa fai?
6. Perché studi la lingua italiana?
7. Quali lingue conosci?
8. Dove abiti e con chi?

Completate:

Mi chiamo ....
....

● ● ● ● ● ● ● ● ● ● ● ● ● ● ●

I. *Fate le domande alle risposte date:*

1. ....? Vivo in Italia.
2. ....? Abito a Verona, in via dei Filosofi.
3. ....? No, in periferia, vicino allo stadio.
4. ....? Sì, prendo la macchina per venire a lezione.
5. ....? Ho una camera.
6. ....? È comoda, silenziosa e piena di luce.
7. ....? La finestra dà sulla strada.
8. ....? Pago 300.000 lire al mese.

L. *Completate secondo l'esempio:*

Questa signora si chiama Paola Ricci. Lavora a Milano. Nel tempo libero legge libri gialli.

Questa signorina ....
....
....

3.

4.

Questo signore ....
....
....

Questo signore ....
....
....

5.

Questa signora ....
....
....
....
....
....
....
....

pittura

●

IL GENIO
NELLA BOTTIGLIA

●

Giorgio Morandi:
una grande esposizione
per il centenario della nascita

Morandi 1890 - 1990
Bologna, Galleria d'arte moderna
Fino al 2 settembre
ore 10-13 / 15-19 - Chiuso lunedì

Il pittore Giorgio Morandi.

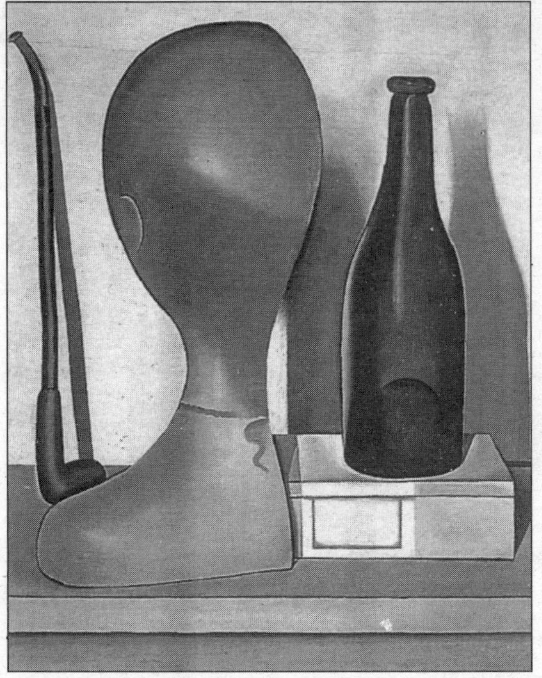

Giorgio Morandi: Natura morta, 1939.

Rispondete alle domande:

1. Chi è Giorgio Morandi?
....
....
2. Che cosa c'è a Bologna?
....
....
....
3. Dov'è la mostra?
....
....
4. A che ora apre la galleria?
....
....
5. A che ora chiude?
....
....
6. La domenica è aperta o chiusa?
....
....
7. Qual è il giorno di chiusura?
....
....

Ascoltate, e completate la piantina dell'appartamento che Paola e Vittorio descrivono in un'agenzia per fare lo scambio della casa.

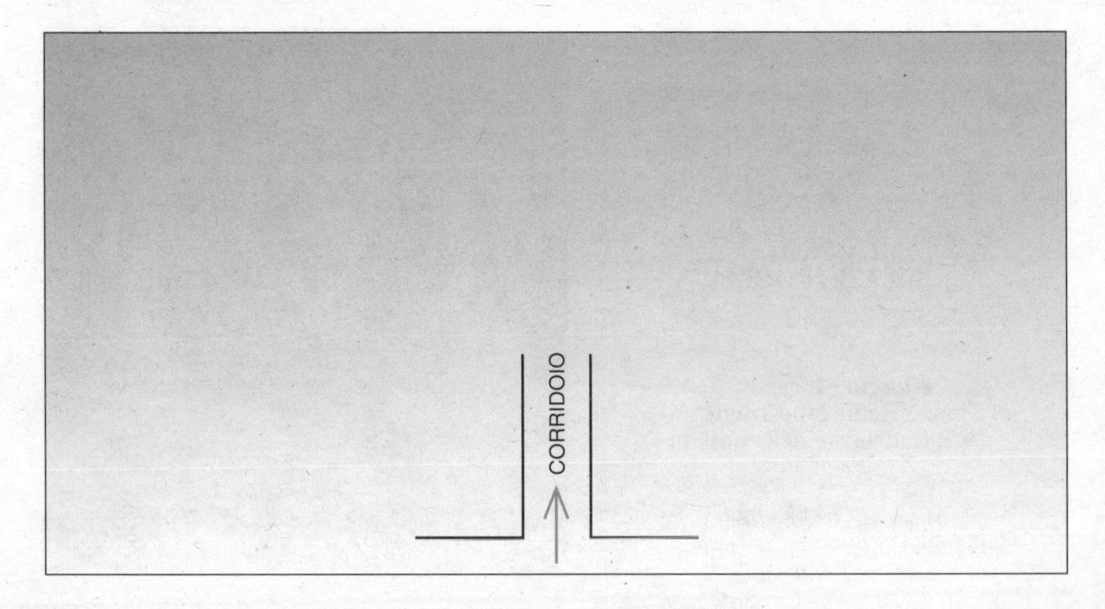

M. *Completate con gli articoli determinativi:*

.... casa di Marco ed Elena è fuori città.
Al primo piano c'è .... cucina, ... soggiorno, ... sala da pranzo e .... studio; al secondo piano ci sono .... camere da letto e .... bagni.
.... camera di Marco ed Elena è molto grande e bella: c'è .... letto, ... tappeto, ... specchio; ci sono .... comodini, ... sedie e .... armadi a muro.
Anche .... giardino è grazioso: ci sono .... fiori e .... alberi da frutta.

N. *Scrivete quali sono le differenze fra i due disegni, secondo l'esempio:*

1. Il quaderno è sul tavolo.	1. Il quaderno è nel cassetto.
2.	2. ....
3.	3. ....
4.	4. ....
5.	5. ....
6.	6. ....
7.	7. ....
8.	8. ....
9.	9. ....
10.	10. ....

Completate con le battute mancanti:

La padrona di casa

Studente: ....
....
Signora: Sì, ho una camera al primo piano.

Studente: Quanto costa?
Signora: ....
Studente: ....

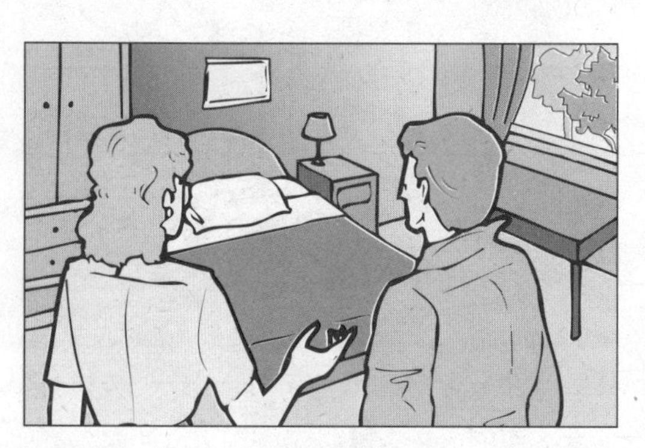

Signora: Questa è la camera:
....
....

Signora: Questo è ....
....
....

Studente: Ecco i soldi...
Signora: ....

Studente: ....
Signora: ....

Scrivete un annuncio per cercare una camera o un appartamento, secondo l'esempio:

Un annuncio

A Pavia, cerco piccolo appartamento, moderno e silenzioso, vicino all'Università.

Telefonare o.p. a Franco, tel. 36179.

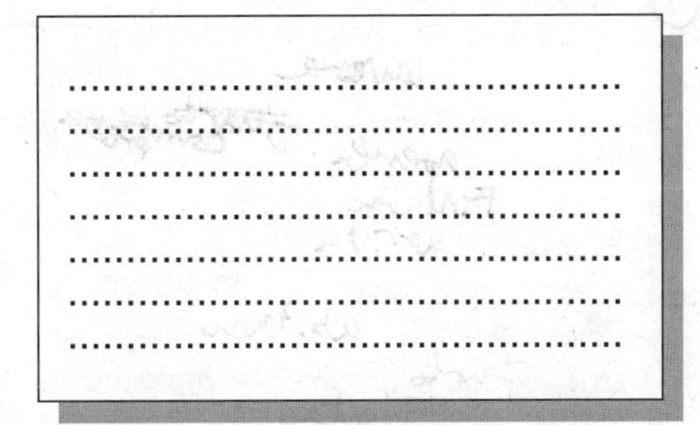

Ascoltate il testo e indicate con una × se le affermazioni sono vere o false.

	vero	*falso*
Anna e Lucia sono italiane.		
Vivono a Siena.		
Abitano in un appartamento.		
La loro camera è grande.		
La finestra della camera dà sulla strada.		
Vanno a lezione a piedi.		

O. *Completate con il verbo opportuno:*

1. Sandro .... negli Stati Uniti con la famiglia.
2. Tutti .... Luciano Pavarotti.
3. Eva .... una lettera ai genitori.
4. La finestra della mia camera .... sui tetti della città.
5. Mary e Jane .... per Londra domani.
6. (Io) .... un bicchiere di latte freddo.
7. Carlo .... in albergo stanotte.
8. Tutte le sere (noi) .... la radio prima di dormire.
9. (Tu) .... bene, quando il professore .... italiano?

10. Oggi pomeriggio Marta .... a tennis con Pietro.
11. (Io) .... l'autobus davanti alla stazione.
12. (Voi) .... il caffè senza zucchero?

P. *Completate con il verbo:*

1. Giorgio .... in una banca a Milano.
2. Tutte le mattine (io) .... il giornale e .... le notizie sportive.
3. I negozi .... alle 9 e .... all'una.
4. (Noi) .... di mangiare e poi .... gli esercizi.
5. Benedetta .... sempre in ritardo a lezione, (noi) invece, ... sempre in orario.
6. Peter e Axel .... in un appartamento a Roma.
7. (Io) .... inglese con i miei amici di Londra.
8. (Voi) .... a casa stasera o uscite?
9. Dopo la lezione Ingrid .... a suo padre.
10. Marco stasera .... la camicia bianca.
11. (Tu) .... troppe sigarette.
12. Bianca .... una cartolina a Pino.

Q. *Completate con l'articolo determinativo:*

.... famiglia	.... villa	.... parco	.... esercizi
.... lezione	.... amici	.... camere	.... appartamento
.... cucina	.... bagno	.... finestre	.... soggiorno
.... giardino	.... specchio	.... sbaglio	.... armadio
.... vasca da bagno	.... armadi	.... sedie	.... comodini
.... aula	.... sbagli	.... amica	.... studenti
.... albergo	.... quadri	.... orologi	.... chiave

R. *Completate con l'articolo indeterminativo:*

.... famiglia	.... villa	.... parco	.... esercizi
.... lezione	.... amici	.... camere	.... appartamento
.... cucina	.... bagno	.... finestre	.... soggiorno
.... giardino	.... specchio	.... sbaglio	.... armadio
.... vasca da bagno	.... armadi	.... sedie	.... comodini
.... aula	.... sbagli	.... amica	.... studenti
.... albergo	.... quadri	.... orologi	.... chiave

S. *Completate con le preposizioni:*

1. Paul vive .... Stati Uniti.
2. Marco abita .... Milano .... famiglia.
3. La finestra .... mia camera dà .... un giardino.

4. Torniamo .... casa .... nove.
5. Abito .... via Mazzini 28.
6. I negozi chiudono .... una.
7. .... camera .... letto c'è uno specchio.
8. La segretaria è .... ufficio tutto il pomeriggio.
9. I signori Rossi abitano .... periferia vicino .... stazione.
10. I libri sono .... tavolo.
11. Le chiavi .... macchina sono .... borsa.
12. Elena scrive una cartolina .... Paolo.

Descriviamo...

Descrivete le foto:

1.

2.

Descrivete i personaggi secondo l'esempio:

1.

Luciano Pavarotti, famoso tenore italiano, ha i capelli neri e gli occhi neri. Ha la barba e i baffi.

→

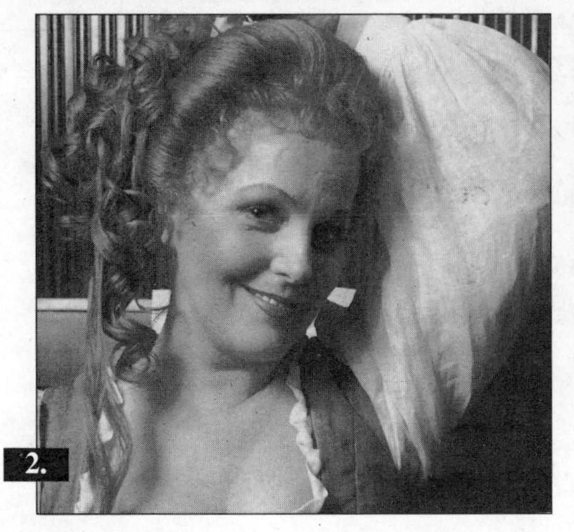

2.

Katia Ricciarelli, famosa cantante lirica italiana, ...

3.

Valeria Golino, famosa attrice italiana, ...

4.

Luca Ronconi, famoso regista italiano, ...

5.

Vasco Rossi, famoso cantante rock, ...

Chi è?

Gli studenti fanno domande ad un compagno per indovinare un personaggio famoso. Lo studente può rispondere soltanto «sì» o «no».

Ascoltate il testo e riconoscete i personaggi di cui si parla:

Marta N. ....

Michele N. ....

Vittorio N. ....

Gabriella N. ....

A. *Trasformate secondo il modello:*

> Ho l'abitudine di mangiare poco la sera.
> Di solito mangio poco la sera.

1. Carlo ha l'abitudine di leggere un po' prima di dormire.
....
2. Abbiamo l'abitudine di andare al lago la domenica.
....
3. I miei amici hanno l'abitudine di passare le vacanze in montagna.
....
4. Ho l'abitudine di fumare una sigaretta dopo pranzo.
....
5. Hai l'abitudine di fare colazione al bar?
....
6. Marco ha l'abitudine di tornare tardi la sera.
....
7. Avete l'abitudine di riposare un po' il pomeriggio?
....
8. Ho l'abitudine di guardare la TV mentre mangio.
....
9. Abbiamo l'abitudine di bere un aperitivo prima di cena.
....
10. Lucia ha l'abitudine di andare in ufficio a piedi.
....
11. Ho l'abitudine di leggere il giornale la mattina.
....
12. Marco e Sergio hanno l'abitudine di dormire fino a tardi la domenica.
....

B. *Trasformate secondo il modello:*

> Tutte le mattine vado a lezione.
> Ogni mattina vado a lezione.

1. Tutti i giorni mi sveglio presto.
....
2. Tutte le sere guardo la televisione fino a tardi.
....
3. Tutte le notti dormo almeno sette ore.
....
4. Tutte le settimane telefono ai miei genitori in Germania.
....
5. Tutti gli anni vanno un mese al mare.
....
6. Tutti i lunedì Sandro va in piscina.
....

C. *Completate con il verbo «andare»:*

1. La mattina Piero .... in ufficio alle nove.
2. A mezzogiorno gli studenti .... alla mensa.
3. Ogni sera (io) .... in piscina con Marina.
4. (Noi) .... sempre a letto prima di mezzanotte.
5. Stasera (tu) .... in pizzeria con Marco?
6. (Tu) .... al cinema stasera?
7. (Voi) .... a cena al ristorante sabato?
8. Signor Bartoli, ... al mare questo fine-settimana?

D. *Rispondete alle domande secondo il modello:*

Dove va Antonio? (la stazione)
Va alla stazione.

1. Dove andate? (l'aeroporto)
....
2. Dove va Eleonora? (l'Università)
....
3. Dove vai? (il mercato)
....
4. Dove vanno gli studenti? (la mensa)
....
5. Dove andiamo? (il concerto)
....
6. Dove andate? (il museo)
....

E. *Completate con il verbo «venire»:*

1. Dirk .... da Heidelberg.
2. Quelle ragazze .... dal Brasile.
3. Pierre, da dove .... ?
4. Signor Benigni, ... al cinema con noi?
5. (Io) .... volentieri al centro con voi.
6. Ragazzi, da dove .... ?
7. (Noi) .... molto volentieri alla vostra festa.
8. Sandro, ... in pizzeria con me domani sera?

F. *Rispondete alle domande secondo il modello:*

Da dove viene Dimitrios? (la Grecia)
Viene dalla Grecia.

1. Da dove vieni? (la Norvegia)
....
2. Da dove vengono John e Pat? (gli Stati Uniti)
....

3. Da dove viene Hans? (l'Olanda)

....

4. Da dove venite? (il Messico)

....

5. Da dove vieni? (la Tunisia)

....

6. Da dove vengono quei ragazzi? (l'Egitto)

....

G. *Completate con le domande e scrivete una frase secondo il modello:*

	domanda		***risposta***
Paolo:	Dove vai? Con che cosa ci vai? Quando ci vai? Con chi ci vai?	*Stella:*	Vado a Roma. Ci vado in treno. Ci vado domani. Ci vado da sola.

Domani Stella va a Roma in treno da sola.

Paolo:	....	*Bruno:*	Vado in Grecia. Ci vado con la nave. Ci vado sabato. Ci vado con Marta.

....

Paolo:	....	*Ivo e Ada:*	Andiamo a Parigi. Ci andiamo in aereo. Ci andiamo a marzo. Ci andiamo con Gino.

....

Paolo:	....	*Maria:*	Pia e Lea vanno a casa. Ci vanno in autobus. Ci vanno alle sei. Ci vanno con Silvia.

....

H. *Rispondete alle domande e scrivete una frase:*

Paolo:	E tu, dove vai?	....
	Con che cosa ci vai?	....
	Quando ci vai?	....
	Con chi ci vai?	....

....

I. *Trasformate secondo il modello:*

Parto per Parigi.
Partiamo per Parigi.

1. Il mio amico viene da Berlino.
   I miei amici ....
2. Marco esce di casa ogni giorno alle otto.
   Marco e Pietro..
3. Vai sempre a scuola a piedi?
   ....
4. Oggi pomeriggio vado in piscina.
   ....
5. Chiara va a lezione di francese ogni lunedì.
   Chiara e Giulia..
6. Esco tardi dall'ufficio stasera.
   ....
7. Vieni sempre a scuola in ritardo!
   ....
8. Vengo a pranzo da voi oggi.
   ....
9. Esci con noi stasera?
   ....
10. Domattina parto presto per la montagna.
    ....
11. Marta va a dormire sempre prima delle undici.
    Marta e Linda..
12. Piero parte domani per un viaggio in Europa.
    Piero e Carlo ....

L. *Trasformate secondo il modello:*

I signori Tonizzo partono per la Turchia.
Il signor Tonizzo parte per la Turchia.

1. I miei vicini di casa vengono dalla Svizzera.
   Il mio vicino di casa..
2. Andiamo a mangiare ogni giorno alla mensa.
   ....
3. Quando escono dal lavoro, sono molto stanchi.
   Quando Franco..
4. Veniamo volentieri a cena a casa tua.
   ....
5. Pina e Giovanni vanno in vacanza in Sicilia quest'anno.
   Giorgio ....
6. Di solito usciamo di casa alle sette la mattina.
   ....
7. Venite a cena con noi al ristorante?
   ....
8. Andate anche voi alla partita tutte le domeniche?
   ....
9. A che ora uscite dall'Università il giovedì?
   ....
10. I nostri colleghi partono oggi per la settimana bianca.
    Il nostro collega ....

11. Di solito partiamo con la macchina, non con il treno.
....
12. Oggi non usciamo, siamo stanche.
....

M. *Fate le domande secondo il modello:*

> Chiedete a Paolo il permesso di fumare in macchina.
> Paolo, posso fumare in macchina?

1. Chiedete a Paolo il permesso di telefonare a casa.
....
2. Chiedete a Paolo il permesso di andare in bagno.
....
3. Chiedete a Paolo il permesso di prendere un bicchiere d'acqua.
....
4. Chiedete a Paolo il permesso di accendere la TV.
....
5. Chiedete a Paolo il permesso di entrare.
....
6. Chiedete a Paolo il permesso di aprire la finestra.
....

N. *Fate le richieste secondo il modello:*

> Dite a Marta di andare più piano.
> Marta, puoi andare più piano?

1. Dite a Marta di abbassare la radio.
....
2. Dite a Marta di comprare il giornale.
....
3. Dite alla signora Rossi di ripetere la domanda.
....
4. Dite al signor Magnini di aspettare un momento.
....
5. Dite ai ragazzi di parlare a bassa voce.
....
6. Dite ai bambini di fare meno rumore.
....

O. *Fate le domande secondo il modello:*

> Chiedete a Mario se vuole un caffè.
> Mario, vuoi un caffè?

1. Chiedete a Mario se vuole una sigaretta.
....
2. Chiedete al professore se vuole un passaggio per il centro.
....
3. Chiedete ai ragazzi se vogliono qualcosa da bere.
....

4. Chiedete a Claudia se vuole venire al bar.

....

5. Chiedete alla signora Corso se vuole bere qualcosa di fresco.

....

6. Chiedete ai bambini se vogliono fare merenda.

....

P. *Rispondete alle domande secondo il modello:*

> Vieni in piscina? (studiare)
> No, non posso, devo studiare.

1. Vieni con noi al cinema? (ripassare la lezione)

....

2. Venite a fare quattro passi? (lavare la macchina)

....

3. Signora, rimane a cena da noi? (tornare a casa)

....

4. Ragazzi, venite a fare un giro in bicicletta? (finire i compiti)

....

5. Vuoi mangiare una fetta di dolce? (stare a dieta)

....

6. Prendi un caffè con me al bar? (andare a fare la spesa)

....

Q. *Completate con i verbi indicati fra parentesi:*

1. Thomas (venire) .... in vacanza ogni anno in Italia.
2. La nostra camera è troppo piccola. (Cercare) .... un appartamento più grande.
3. Quei turisti sono giapponesi: non (capire) .... una parola d'italiano, ma (parlare) .... benissimo l'inglese.
4. Oggi non ho voglia di uscire. (Rimanere) .... a casa e (guardare) .... un po' la TV.
5. Elsa (andare) .... a letto presto stasera perché (avere) .... sonno.
6. Le mie amiche (fare) .... sempre colazione al bar; io, invece, (fare) .... colazione a casa: (bere) .... un caffè e (mangiare) .... pane e marmellata.
7. Roberto non (potere) .... venire al lago con noi perché (dovere) .... finire di studiare matematica.
8. I miei vicini (stare) .... sempre da soli perché non (conoscere) .... nessuno in questa città.
9. A che ora (arrivare) .... il treno da Ancona? (Arrivare) .... alle 11,15, ma oggi (avere) .... qualche minuto di ritardo.
10. Domani Lisa (dare) .... una festa per il suo compleanno: ci (venire) .... anche tu?
11. Stasera (io-andare) .... a ballare con Luca, ma non (volere) .... fare tardi perché domattina (dovere) .... alzarmi presto.
12. Mia madre (essere) .... stanca: (preferire) .... salire con l'ascensore.

R. *Fate le domande secondo i modelli:*

Heiner va <u>in Germania</u>. Dove va Heiner?	<u>Heiner</u> va in Germania. Chi va in Germania?

1. I signori Rossi vanno <u>a Firenze</u>.
....
2. <u>I signori Rossi</u> vanno a Firenze.
....
3. Pietro parte <u>per gli Stati Uniti</u>.
....
4. Maria va a Firenze <u>con Antonio</u>.
....
5. John va <u>dall'oculista</u>.
....
6. <u>Simone</u> va all'ospedale.
....
7. Gli studenti vanno a casa <u>con l'autobus</u>.
....
8. Andrea compra un libro <u>per Isabella</u>.
....
9. Giorgia parte <u>domani</u>.
....
10. Bianca va a Parigi <u>per studiare il francese</u>.
....
11. Ornella presta la macchina <u>a Francesco</u>.
....
12. Bruno telefona <u>a Stella</u>.
....

Scrivete il biglietto di risposta:

Vieni sabato 3 agosto a casa mia per il mio compleanno? Benedetta	Festeggiamo l'anniversario del nostro matrimonio a Villa Clara il 9 agosto alle 21,30. Venite? Diego e Michela
....	....

Scrivete il biglietto di invito:

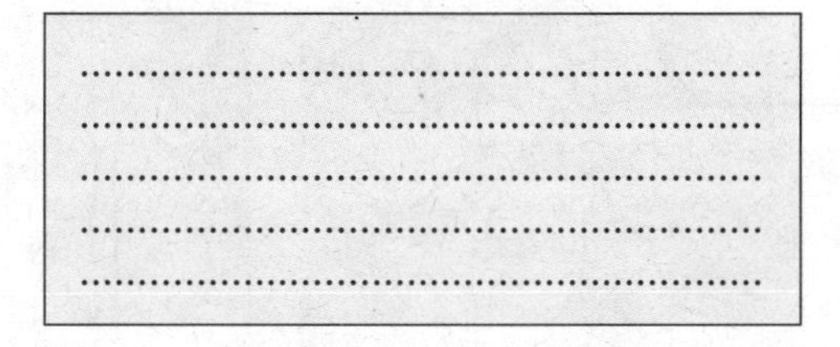

Grazie! Veniamo con piacere. A sabato!
Ruggero e Rosina

Mi dispiace, non posso venire. Vado all'estero per lavoro. Tanti auguri!
Giuseppina

Il lavoro di Anna

Leggete il testo:

Sono le venti. Anna saluta le sue amiche e va al lavoro. Lavora in una discoteca: fa la cameriera. Alle 21 Anna comincia a lavorare.
Alle 23 alcuni ragazzi entrano in discoteca, parlano, ballano e prendono qualcosa da bere. A mezzanotte arriva molta gente: ragazzi e ragazze di tutte le età; anche loro cominciano a ballare, a parlare e a bere. Anna porta i bicchieri ai tavoli con un grande vassoio.
Finalmente sono le quattro. Anna esce dalla discoteca e dopo mezz'ora arriva a casa: le sue amiche dormono e in casa c'è silenzio: Anna è felice!

Completate:

ore 20: Anna..
ore 21: ....
ore 23: ....
ore 24: ....
ore 4: ....
ore 4,30: ....

Guardate le vignette precedenti e raccontate.

Uno studente fa le domande guardando le vignette e l'altro risponde.

Il tempo libero di Maria

Maria è impiegata all'ufficio postale e lavora otto ore al giorno. Ha poco tempo libero, perché lavora molto.
Quando la sera torna a casa è molto stanca e ha voglia solo di riposare; legge una rivista o guarda la televisione.
Il sabato e la domenica Maria è libera e può fare quello che vuole. Quando il tempo è bello, va in bicicletta con sua sorella o fa una gita in campagna.
Quando il tempo è brutto Maria rimane a casa: ascolta la musica (ha una grande passione per la musica classica e per l'opera), suona il piano, scrive lunghe lettere agli amici. Ma soprattutto Maria legge: preferisce i libri gialli.

Rispondete alle domande:

1. Che cosa fa Maria?
2. Perché ha poco tempo libero?
3. Che cosa fa la sera quando torna a casa?
4. Che cosa fa Maria durante il fine-settimana quando il tempo è bello?
5. E quando il tempo è brutto?
6. Che genere di musica preferisce?
7. Che genere di libri preferisce?

Rispondete alle domande:

1. E tu, che cosa fai?
2. Hai molto o poco tempo libero?
3. Perché?
4. Che cosa fai la sera dopo il lavoro / lo studio?
5. Che cosa fai durante il fine-settimana quando il tempo è bello?
6. E quando il tempo è brutto?
7. Che genere di musica preferisci?
8. Che genere di letture preferisci?

Completate:

Io sono .... e lavoro/studio .... al giorno.
Ho .... tempo libero, perché...
Quando la sera torno a casa ....
....
Durante il fine-settimana, quando il tempo è bello...
....
Qualche volta ....
Quando il tempo è brutto, ...
....
Preferisco la musica ....
Preferisco leggere...
....
Ho una gran passione per..

Ascoltate la conversazione e collegate ciascuna festa al giorno dell'anno in cui si celebra:

1° gennaio	Ferragosto
6 gennaio	Natale
25 aprile	Festa del lavoro
1° maggio	Ognissanti
15 agosto	Anniversario della Liberazione
1° novembre	Capodanno
8 dicembre	Santo Stefano
25 dicembre	Festa della Madonna
26 dicembre	Epifania

Ascoltate la conversazione tra Carla e Valeria e indicate nell'agenda di Carla i suoi impegni.

3	4	5	
Vendredi *Friday* *Venerdí* *Freitag* *Viernes* *Sexta* 金 الجمعة	*Samedi* *Saturday* *Sabato* *Samstag* *Sábado* *Sábado* 土 السبت	*Dimanche* *Sunday* *Domenica* *Sonntag* *Domingo* *Domingo* 日 الأحد	

8	8	8	
9	9	9	
10	10	10	
11	11	11	
12	12	12	
13	13	13	
14	14	14	**Août**
15	15	15	**August**
16	16	16	**Agosto**
17	17	17	**August**
18	18	18	**Agosto**
19	19	19	**Agôsto** **八月** **أغسطس**
20	20	20	

S. *Completate con le preposizioni:*

1. Ogni mattina Marco va .... ufficio .... otto.
2. Stasera andiamo .... mangiare .... ristorante .... i nostri amici francesi.
3. Laura mangia sempre .... mensa.
4. Sabato parto .... Parigi .... aereo.
5. Tutte le sere vado .... letto .... mezzanotte.
6. Giorgio va .... piscina .... nuotare e .... prendere il sole.
7. Andiamo .... posta .... spedire una lettera.
8. Oggi Francesca ha lezione .... italiano.
9. Vittoria esce .... Filippo e vanno .... cena .... pizzeria.
10. Sono stanco .... lavorare: ho voglia .... uscire .... prendere un po' .... aria.
11. La mattina faccio colazione .... casa.
12. Florian viene .... Germania, ... Berlino.

La giornata di Piero

Completate il racconto:

Alle sette Piero fa colazione e..

1. fare colazione, ascoltare la radio

2. uscire di casa, prendere la metropolitana

3. arrivare in banca, cominciare a lavorare

4. fare una pausa, andare alla mensa con i colleghi, mangiare, prendere un caffè

5. ricominciare a lavorare

6. finire di lavorare

7. arrivare a casa

8. mettere la tuta e le scarpe da ginnastica, andare a fare jogging al parco con Sandra

9. cenare, poi guardare la TV

10. andare a letto

La settimana di Valeria

Completate il racconto:

Il lunedì mattina Valeria va all'Università, ...

20	**lunedì** SS. FABIANO E SEBASTIANO	mattina: pomeriggio: sera:	Università da Paolo per studiare casa
21	**martedì** S. AGNESE	mattina: pomeriggio: sera:	casa per studiare con Paolo corso di tedesco cinema con gli amici
22	**mercoledì** S. VINCENZO	mattina: pomeriggio: sera:	Università casa per studiare; palestra casa

23 giovedì S. RAIMONDO	mattina: pomeriggio: sera:	casa per studiare Università; corso di tedesco pizzeria con gli amici
24 venerdì S. FRANCESCO DI SALES	mattina: pomeriggio: sera:	casa per fare le pulizie casa dei genitori casa di amici
25 sabato CONVERSIONE DI S. PAOLO	mattina: pomeriggio: sera:	casa per dormire casa per studiare ristorante con Paolo; discoteca
26 domenica SS. TIMOTEO E TITO	gita fuori città	

La domenica di Lucienne

Completate il racconto:

È domenica. Lucienne ha voglia di fare una gita..

Affreschi di Giotto

A. *Trasformate secondo il modello:*

> Vado in vacanza in Sicilia.
> Sono andato in vacanza in Sicilia.

1. Parto per Milano alle 9.
....
2. Lucia frequenta un corso di francese.
....
3. Facciamo un viaggio all'estero.
....
4. Ivo e Carlo passano la serata in casa.
....
5. Lavorate fino a tardi?
....
6. Prendiamo il treno delle 8.
....
7. Faccio una passeggiata al centro.
....
8. Il treno per Bologna arriva in ritardo.
....
9. Laura ha l'influenza.
....
10. Compri una macchina nuova?
....
11. I bambini dormono fino alle 8.
....
12. Andiamo al cinema con Antonio.
....

B. *Rispondete alle domande:*

1. A che ora sei tornato? ....a mezzanotte.
2. Dove avete mangiato?..al ristorante.
3. Con chi è partita Claudia?..con Lorenzo.
4. A che ora è arrivato l'autobus? ....all'una.
5. Quando avete cambiato casa?..l'anno scorso.
6. Quando hai finito di lavorare? ....mezz'ora fa.
7. Dove hanno passato le vacanze i tuoi amici?..a Cortina.
8. A che ora sei uscita di casa?..alle 7.
9. Con che cosa siete andati a Pavia?..con la macchina.
10. Con chi sei venuto a Milano? ....da solo.
11. A che ora ha cominciato a studiare Elena? ....alle 10.
12. Quando hai comprato questa macchina? ....una settimana fa.

C. *Trasformate secondo il modello:*

> Oggi studio fino alle 7. (ieri / fino alle 9)
> Ieri, invece, ho studiato fino alle 9.

1. Oggi Ernesto va a lezione d'inglese. (ieri / lezione di musica)
....
2. Oggi usciamo presto dall'ufficio. (l'altro ieri / tardi)
....
3. Oggi Paola e Nora rimangono a letto fino alle 10. (ieri mattina / fino alle 11)
....
4. Oggi metto in ordine la camera da letto. (qualche giorno fa / cucina)
....

5. Oggi i negozi chiudono alle 20. (sabato scorso / 20,30)

....

6. Oggi vengono a trovarmi gli zii di Torino. (un mese fa / gli zii di Pavia)

....

7. Oggi esco da sola. (ieri sera / con un gruppo di amici)

....

8. Oggi spedisco una cartolina a Teresa. (una settimana fa / Gloria)

....

9. Oggi il treno per Ancona arriva in ritardo. (ieri / in orario)

....

10. Oggi telefoniamo a Mariella. (ieri pomeriggio / Antonella)

....

11. Oggi pulisco il soggiorno. (ieri mattina / il garage)

....

12. Oggi Claudia compra un regalo per Lucio. (venerdì scorso / Carlo)

....

D. *Trasformate secondo il modello:*

Michele va sempre in vacanza al mare. (l'anno scorso)
Anche l'anno scorso è andato in vacanza al mare.

1. Pietro va sempre allo stadio la domenica. (domenica scorsa)

....

2. Dormo sempre fino a tardi la mattina. (stamattina)

....

3. Fai sempre la spesa al mercato? (ieri mattina)

....

4. Leggiamo sempre «La Repubblica» la mattina. (stamattina)

....

5. I miei amici fanno sempre una passeggiata dopo pranzo. (ieri)

....

6. D'inverno andate sempre a sciare? (l'inverno scorso)

....

7. Ida e Franco rimangono sempre a casa la sera. (ieri sera)

....

8. A Firenze arrivano sempre molti turisti. (l'estate scorsa)

....

9. A Natale mia figlia riceve sempre molti regali. (lo scorso Natale)

....

10. Dopo la lezione vado sempre a fare un giro in centro. (l'altro ieri)

....

11. Maria esce sempre con le sue amiche dopo cena. (ieri sera)

....

12. Ernesto va sempre in ufficio a piedi. (stamattina)

....

E. *Fate le domande secondo il modello:*

Chiedete ad un amico se ha dormito bene.
Hai dormito bene?

1. Chiedete ad un amico se ha mangiato bene nel nuovo ristorante.
....
2. Chiedete ad un amico se ha letto l'ultimo romanzo di Oriana Fallaci.
....
3. Chiedete ad un amico se è andato allo stadio domenica scorsa.
....
4. Chiedete ad un amico se ha avuto molto da fare la settimana scorsa.
....
5. Chiedete ad un amico se ha visto Maura ultimamente.
....
6. Chiedete ad un amico se è venuto a lavorare in macchina o con l'autobus.
....

F. *Fate le domande secondo il modello:*

Chiedete al signor Ricci quando ha ricominciato a lavorare.
Signor Ricci, quando ha ricominciato a lavorare?

1. Chiedete al signor Ricci quando è tornato dalle vacanze.
....
2. Chiedete al signor Ricci fino a che ora ha lavorato ieri sera.
....
3. Chiedete al signor Ricci dove ha passato il fine settimana.
....
4. Chiedete al signor Ricci perché non è venuto alla festa ieri sera.
....
5. Chiedete al signor Ricci a chi ha telefonato stamattina.
....
6. Chiedete al signor Ricci con chi è andato a Venezia.
....

G. *Completate:*

1. Ieri Vittorio è andat........ dal medico.
2. Francesco è nat........ a Roma.
3. Durante l'estate i ragazzi sono rimast........ in città.
4. Lucia è uscit........ di casa alle 7.
5. Barbara e Irene sono venut........ in Italia due mesi fa.
6. Maria è nat........ il 7 luglio 1967.
7. I miei genitori sono nat........ e vissut........ in Francia.
8. L'anno scorso Dino ed io siamo stat........ a Parigi 10 giorni.
9. Mio nonno è mort........ dieci anni fa.
10. Angelo e Alessandro sono tornat........ in Grecia.
11. Marta è arrivat........ in Italia una settimana fa.
12. Le bambine sono rimast........ a casa tutto il pomeriggio.

H. *Collegate ogni domanda con la relativa risposta:*

Ciao, Betta, quando sei tornata?
Dove sei stata?
Perché ci sei andata?
Con chi ci sei andata?
Quanto tempo ci siete state?

Con una collega.
Una settimana.
Sono stata a Todi.
Due giorni fa.
Per visitare la mostra dell'Antiquariato.

I. *Utilizzando le informazioni dell'esercizio precedente, scrivete un testo:*

Betta è stata ....
....
....
....
....
....
....

L. *Completate con i verbi indicati fra parentesi:*

1. Ieri Matteo (finire) .... di cenare e poi (accendere) .... la TV per guardare il telegiornale.
2. Stamattina (io-arrivare) .... tardi alla stazione e (perdere) .... il treno.
3. Qualche giorno fa i miei amici (andare) .... all'agenzia di viaggi e (prenotare) .... un viaggio in Egitto.
4. Alla fermata dell'autobus (noi-incontrare) .... Antonio: (noi-parlare) .... del più e del meno, poi lui (salire) .... sul 22 e noi (prendere) .... il 39.
5. Ieri Valeria (rimanere) .... tutto il pomeriggio a casa: (ascoltare) .... la musica e (scrivere) .... una lettera ad un ragazzo che (conoscere) .... durante le vacanze.
6. Lorenzo, quando (tornare) .... dalle vacanze? Una settimana fa.
7. Domenica scorsa Sergio ed io (fare) .... una gita in campagna: (passare) .... tutta la giornata in mezzo al verde, (pranzare) .... al sacco e (tornare) .... verso le 19.
8. Ragazzi, quando (partire) .... da Milano? Circa due ore fa.
9. Professore, (prendere) .... già il caffè?
10. Oggi non (io-leggere) .... ancora il giornale perché non (avere) .... tempo.

11. Signorina, (arrivare) .... tardi stamattina. Come mai?
Mi dispiace, ma stanotte non (stare) .... bene e allora stamattina (andare) .... dal dottore.
12. Ieri sera Aldo (cominciare) .... a leggere un libro giallo.

M. *Trasformate secondo il modello:*

> Di solito posso leggere il giornale la mattina.
> Anche ieri ho potuto leggere il giornale.

1. Di solito posso prendere la macchina di mio padre.
....
2. Di solito posso lasciare il bambino a mia madre.
....
3. Di solito devo studiare molte ore.
....
4. Di solito devo preparare il pranzo in fretta.
....
5. Di solito devo lavorare fino a tardi.
....
6. Di solito posso fare colazione a casa.
....

N. *Trasformate secondo il modello:*

> Oggi Maria può andare in piscina.
> Ieri Maria non è potuta andare in piscina.

1. Oggi Elena può uscire con Sebastiano.
....
2. Stamattina Marco e Giorgio possono andare al parco.
....
3. Oggi Delia deve uscire di casa alle 8.
....
4. Oggi i ragazzi devono tornare a casa presto.
....
5. Stasera le ragazze vogliono restare a casa.
....
6. Stamattina Emanuele vuole rimanere a letto fino a tardi.
....

O. *Rispondete alle domande secondo il modello:*

> Andate al bar dopo la lezione?
> Sì, ci andiamo.

1. Vai a Roma domani?
....
2. Vieni a casa mia stasera?
....
3. Venite al cinema con me sabato?
....

4. Stai bene in questa città?

....

5. Vieni al centro più tardi?

....

6. Andate a lezione oggi pomeriggio?

....

P. *Rispondete alle domande secondo il modello:*

Con chi sei andato a Roma? (un gruppo di amici)
Ci sono andato con un gruppo di amici.

1. Quando sei andato in Sardegna? (il mese scorso)

....

2. A che ora sei andato a lezione stamattina? (alle 9)

....

3. Come sei stato in Italia? (molto bene)

....

4. Chi è andato a fare la spesa? (Antonio)

....

5. Quanto tempo sei rimasto all'estero? (due settimane)

....

6. Con chi sei stata in Germania? (con Dirk)

....

Il signor Rossi è rimasto solo

1.

2.

3.

4.

5.

6.

7.

8.

9.

10.

11.

12.

Raccontate la storia utilizzando le seguenti indicazioni:

ieri sera e poi dopo perché allora subito dopo più tardi	1. tornare a casa / aprire la porta 2. entrare / vedere un biglietto 3. leggere il biglietto 4. fare salti di gioia / la moglie andare via di casa 5. prendere una bottiglia di spumante / stappare la bottiglia 6. fumare un sigaro / bere 7. mangiare 8. lavare i piatti 9. pulire la casa 10. andare in bagno / lavare i denti 11. andare a letto / guardare il posto vuoto 12. cominciare a piangere

Ieri sera il signor Rossi ....

Raccontate la storia osservando le vignette.

Un fine-settimana di Fausto e Marina

Continuate il racconto:

Fausto e Marina hanno deciso di visitare alcune città etrusche. Venerdì scorso (3 luglio), dopo il lavoro, sono partiti da Perugia e ....

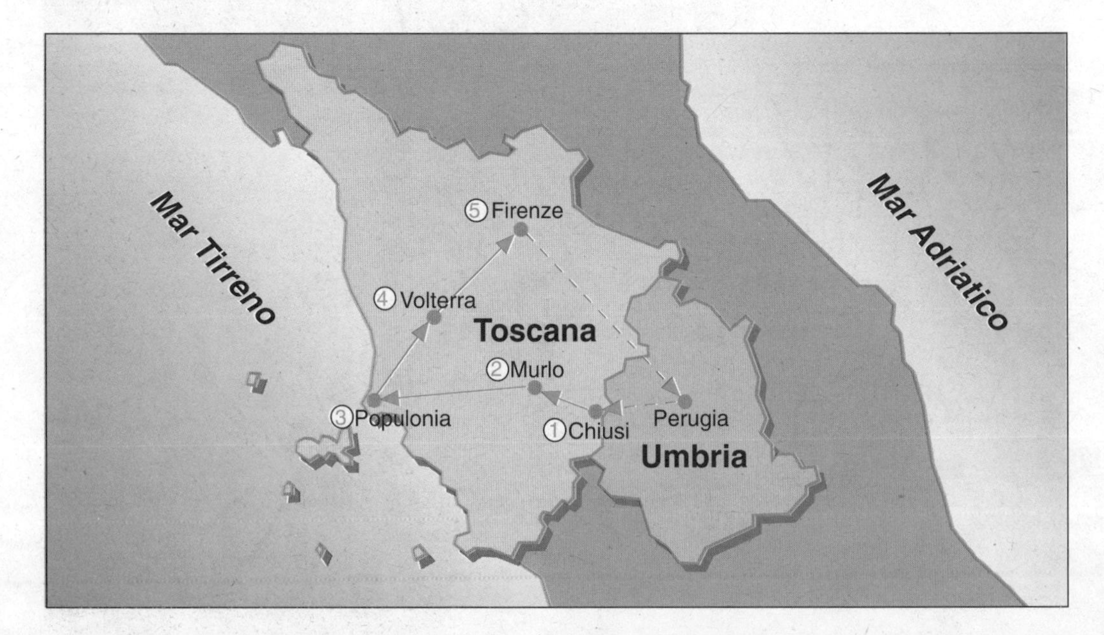

1.

Venerdì, ore 18: arrivo a Chiusi
– cena in trattoria
– albergo
Sabato mattina:
–visita al museo archeologico

Sabato, ore 14: arrivo a Murlo
– spuntino al bar
– visita del Palazzone (sede del museo)
ore 18: partenza

2.

3.

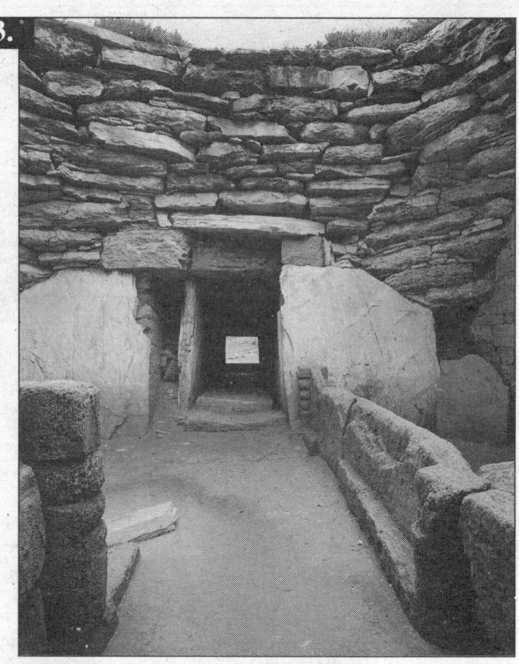

Sabato, ore 19: arrivo a Populonia
– rapida visita alle tombe
– cena al ristorante
ore 22,30: partenza

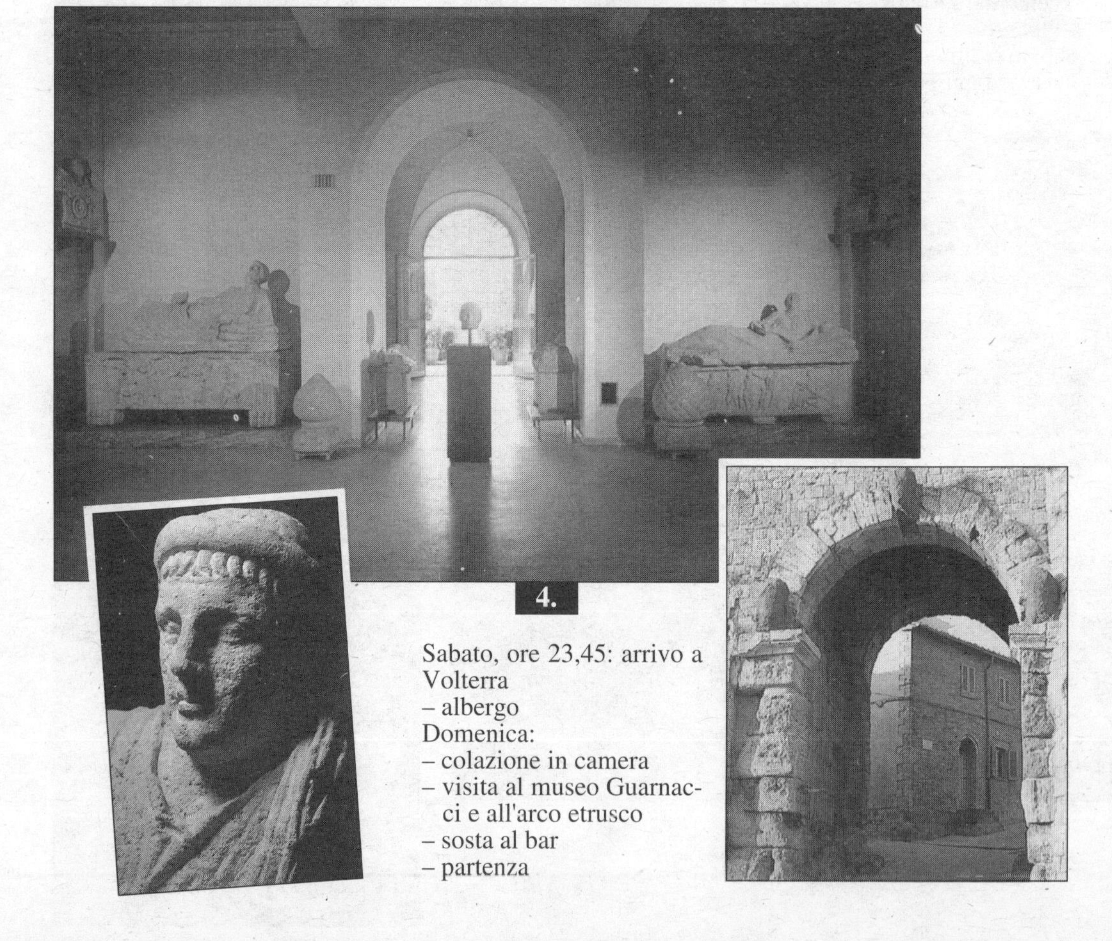

4.

Sabato, ore 23,45: arrivo a Volterra
– albergo
Domenica:
– colazione in camera
– visita al museo Guarnacci e all'arco etrusco
– sosta al bar
– partenza

5.

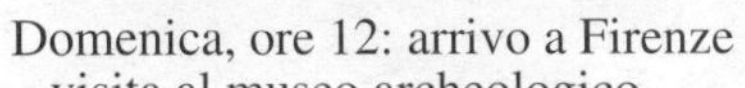

Domenica, ore 12: arrivo a Firenze
- visita al museo archeologico
- giro per la città
- ristorante

ore 15: visita alla tomba della Montagnola a Quinto (Firenze)
ore 17: partenza

Chiedete al vostro compagno:

- dove è andato durante il fine-settimana
- quando è partito
- quando è tornato
- con chi ci è andato
- con che cosa ci è andato
- che cosa ha visitato

Riferite alla classe le informazioni ricevute.

Raccontiamo...

Raccontate delle brevi storie utilizzando le seguenti indicazioni:

Sabato mattina gita mare autostop sabato sera	La settimana scorsa passeggiata parco Giorgio e Maria cinema	Ieri sera gatto porta casa latte

Scrivete delle brevi storie utilizzando le seguenti indicazioni:

Stamattina vecchio compagno di scuola bar appuntamento pizzeria	L'inverno scorso vacanze montagna gamba ospedale

IL PENDOLINO D'ESTATE COSTA MENO.

Dal 1º agosto al 15 settembre '90 costa meno viaggiare con l'ETR 450. Così l'Italia delle vacanze diventa più vicina: ad esempio con poco più di 4 ore siete da Roma a Venezia seduti al fresco dell'aria condizionata, leggendo un giornale distribuito dalle hostess di bordo, che vi assistono per tutto il viaggio con un servizio ristoro "a domicilio". Il tutto ad un prezzo turistico: Lit. 82.500. Aiutate l'Italia che viaggia senza rinunciare per questo a qualcosa di più: **in vacanza con il Pendolino.**

Alcune tariffe:

Bologna - Roma	**Lit. 66.200**	**Firenze - Roma**	**Lit. 54.800**
Firenze - Venezia	**Lit. 48.300**	**Roma - Milano**	**Lit. 90.600**

Rispondete alle domande:

1. Che cos'è il Pendolino?
2. In quale periodo dell'anno costa meno viaggiare?
3. Quanto dura il viaggio da Roma a Venezia?
4. Quanto costa?
5. Che cosa c'è di particolare in questo treno?

Le vacanze di Giorgio e Carla

Ogni estate Giorgio e Carla passano le vacanze all'estero. L'anno scorso, per esempio, sono andati negli Stati Uniti, a New York, con alcuni amici e ci sono restati per un mese. Hanno frequentato un corso di lingua inglese, hanno visitato la città, hanno visto molti spettacoli; hanno fatto amicizia con molti americani e anche con molti stranieri.
Giorgio e Carla hanno fatto un programma per la prossima estate: hanno deciso di andare al mare, in Grecia, in una piccola isola. Vogliono andarci con la nave e restarci venti giorni; forse con loro ci vanno anche due amici spagnoli che hanno conosciuto l'anno scorso a New York. In Grecia vogliono affittare una barca a vela per fare delle gite nelle isole vicine: vogliono riposarsi dopo un anno di lavoro, fare pesca subacquea, nuotare, prendere il sole e vedere dei posti nuovi. Vogliono andare anche ad Atene e a Creta.

Rispondete alle domande:

1. Dove passano le vacanze Giorgio e Carla?

....

2. Dove sono andati l'anno scorso?

....

3. Con chi ci sono andati?

....

4. Quanto tempo ci sono restati?

....

5. Che cosa hanno fatto a New York?

....

6. Che programma hanno fatto Giorgio e Carla per la prossima estate?

....

7. Con che cosa vogliono andare in Grecia?

....

8. Quanto tempo vogliono restarci?

....

9. Ci vanno da soli?

....

10. Che cosa vogliono fare in Grecia?

....

Rispondete alle domande:

1. E tu, dove passi le vacanze?
....
2. Dove sei andato l'anno scorso?
....
3. Con chi ci sei andato?
....
4. Quanto tempo ci sei restato?
....
5. Che cosa hai fatto a ....?
....
6. Che programma hai fatto per la prossima estate?
....

Completate:

Ogni anno io passo...
L'anno scorso sono andato/a...
....
....
Ho già fatto un programma per le prossime vacanze:...
....
....

Raccontate la vostra vacanza più bella.

Ascoltate la conversazione e registrate nell'agenda di Francesca i suoi impegni di ieri.

Venerdì 4 settembre

8
9
10
11
12
13
14
15
16
17
18
19
20

Q. *Trasformate secondo il modello:*

La frase difficile.
Le frasi difficili.

1. La notizia importante.
Le notizi importanti
2. Il libro noioso.
i libri noiosi
3. L'amica gentile.
~~le~~ L'amiche gentili.
4. Lo studente bravo.
gli studenti bravi.
5. La macchina veloce.
Le macchine veloci.
6. La parete bianca.
Le pareti bianche.
7. Il quadro antico.
i quadri antichi.
8. Lo spettacolo divertente.
gli spettacoli divertenti.
9. Lo zaino nuovo.
gli zaini nuovi
10. La signora elegante.
Le signore eleganti
11. L'attore francese.
L'attori francesi
12. Il cantante americano.
i cantanti americani

R. *Trasformate secondo il modello:*

Questa lezione è molto interessante.
Queste lezioni sono molto interessanti.

1. Questa storia è molto divertente.
queste stori sono molto divertenti
2. Questa frase è molto facile.
Queste frasi sono molto facili.
3. Questa bambina è molto carina.
Queste bambine sono molto carine.
4. Questo esercizio è molto difficile.
Questi esercizi sono molto difficili.
5. Quest'aula è molto grande.
Quest'aule sono molto grande
6. Quest'orologio è molto bello.
Quest'orologi sono molto belli.
7. Questa strada è molto stretta.
Queste strade sono molto strette.
8. Questo studente è molto intelligente.
Questi studenti sono molto intelligenti.
9. Questo ragazzo è molto gentile.
Questi ragazzi sono molto gentili.
10. Questo documento è molto importante.
Questi documenti sono molto importanti.
11. Questo vestito è molto caro.
Questi vestiti sono molto cari.
12. Questo signore è molto elegante.
Questi signori sono molto eleganti.

S. *Trasformate secondo il modello:*

Carlo dice: «Sono tornato un'ora fa».
Carlo dice che è tornato un'ora fa.

1. Carlo dice: «Ho ricevuto una lettera importante».
....
2. Carlo dice: «Ieri ho lavorato tutto il giorno».
....
3. Carlo dice: «Ieri sera sono tornato a casa tardi».
....
4. Carlo dice: «Ho passato una settimana in Sicilia».
....
5. Carlo dice: «Sono stato a Milano la settimana scorsa».
....
6. Carlo dice: «Ho avuto l'influenza».
....

T. *Trasformate secondo il modello:*

> Franco e Lino dicono: «Abbiamo dormito fino a tardi stamattina».
> Franco e Lino dicono che hanno dormito fino a tardi stamattina.

1. Franco e Lino dicono: «Abbiamo fatto un viaggio all'estero».
....
2. Franco e Lino dicono: «Siamo usciti di casa alle 8».
....
3. Franco e Lino dicono: «Abbiamo avuto molto da fare la settimana scorsa».
....
4. Franco e Lino dicono: «Non abbiamo visto Maria».
....
5. Franco e Lino dicono: «Ieri siamo andati allo stadio».
....
6. Franco e Lino dicono: «Abbiamo mangiato bene nel nuovo ristorante».
....

U. *Completate con le preposizioni:*

1. La lezione comincia .... 8.
2. Hermann viene .... Heidelberg.
3. Anna vive .... due amiche.
4. Esco .... casa .... 7.
5. .... solito lavoro fino .... 18.
6. Angela è greca: è .... Salonicco.
7. Pablo viene .... Madrid.
8. Françoise viene .... Francia.
9. Vado .... dottore perché sto male.
10. Le chiavi .... casa sono .... tavolo.
11. Vado .... letto perché ho sonno.
12. Le chiavi .... garage sono .... borsa.

V. *Completate con le preposizioni:*

1. Simone è stato .... vacanza .... mare.
2. Maria è andata .... campeggio .... un gruppo .... amici.
3. Ho preferito passare le ferie .... estero.
4. Sono andata .... montagna .... Sandro.
5. Il treno è partito .... Milano .... 16,30 ed è arrivato .... Venezia .... 19.
6. .... Firenze abbiamo fatto un giro .... centro.
7. I ragazzi sono partiti .... Parigi sabato scorso.
8. Siamo tornati .... casa .... mezzanotte.
9. Il treno .... Firenze è arrivato .... ritardo.
10. Ieri sera sono andato .... discoteca .... la mia ragazza.
11. Siamo saliti .... quarto piano .... ascensore.
12. Vanessa è andata .... Spagna .... imparare lo spagnolo.

Unità 5

A. *Trasformate secondo il modello:*

Partirò fra una settimana. Partiremo fra una settimana.

1. Cercherò un nuovo lavoro.
   ....
2. Prenderai una settimana di ferie?
   ....
3. Cecilia uscirà dal lavoro alle 6.
   Cecilia e Sabina ....
4. Farò un viaggio in Europa.
   ....
5. Riceverai notizie di Andrea molto presto.
   ....
6. Marco verrà a cena da noi stasera.
   Marco e Lucio..............................
7. Spedirò la lettera fra poco.
   ....
8. Telefonerai al medico?
   ....
9. Elena non potrà venire alla festa.
   Elena e Stefania ....
10. Dovrò cominciare a studiare per l'esame.
    ....
11. Tornerai presto a Bologna?
    ....
12. Franco farà il militare dopo l'Università.
    Franco e Antonio ....

B. *Trasformate secondo il modello:*

Vieni con noi stasera? Verrai con noi stasera?

1. Rimani a casa stasera?
....
2. Carlo va in vacanza da solo?
....
3. Uscite con la macchina stasera?
....
4. Passi le vacanze in città l'estate prossima?
....
5. Lavorate fino a tardi?
....
6. I tuoi amici restano a casa tua?
....

7. Metti un vestito nuovo stasera?

....

8. Patrizia deve rimanere a letto?

....

9. Andiamo a teatro o restiamo a casa stasera?

....

10. Organizzate una festa per il compleanno di Piero?

....

11. Cominci a lavorare presto domattina?

....

12. I ragazzi devono stare in casa tutto il giorno?

....

C. *Rispondete alle domande:*

1. A che ora comincerà la lezione domani?
.... alle nove.
2. A che ora finiranno le lezioni domani?
.... a mezzogiorno.
3. Quando tornerai a casa?
.... dopo pranzo.
4. Quando andrai da Pietro?
.... nel pomeriggio.
5. Quando partirà Francesco?
.... fra qualche giorno.
6. Quando partiranno Andrea e Letizia?
.... la settimana prossima.
7. Con chi andrai a Berlino?
.... con Antonella.
8. Con che cosa andrete a Londra?
.... con l'aereo.
9. Quando tornerete nel vostro paese?
.... fra due mesi.
10. A che ora arriverà Carlo?
.... alle sette.
11. Quando verranno Dino e Claudio?
.... dopo cena.
12. Quando verrai a cena da noi?
.... sabato prossimo.

D. *Trasformate secondo il modello:*

> Dopo che avrà visto il film, Carlo andrà a letto.
> Dopo il film Carlo andrà a letto.

1. Dopo che avrà visto la partita, Carlo tornerà a casa.

....

2. Dopo che avrà ascoltato la lezione, Carlo telefonerà a Mara.

....

3. Dopo che avrà visto lo spettacolo, Carlo andrà al ristorante.

....

4. Dopo che avrà fatto l'Università, Carlo farà il servizio militare.

....

5. Dopo che avrà pranzato, Carlo leggerà il giornale.

....

6. Dopo che avrà cenato, Carlo uscirà.

....

E. *Trasformate secondo il modello:*

> Prima mangerò e poi fumerò una sigaretta.
> Dopo che avrò mangiato, fumerò una sigaretta.

1. Prima studierò e poi guarderò la televisione.

....

2. Prima farò la spesa e poi verrò a trovarti.

....

3. Prima telefonerò a Pina e poi comincerò a studiare.

....

4. Prima venderò la moto e poi comprerò una macchina.

....

5. Prima finirò l'Università e poi farò il militare.

....

6. Prima saluterò Maria e poi partirò.

....

F. *Completate con i verbi indicati fra parentesi:*

1. L'anno prossimo (io-andare) .... in America a fare un corso di specializzazione.
2. Ornella è una donna intelligente: (avere) .... sicuramente successo.
3. A marzo (noi-cambiare) .... casa; (andare) .... ad abitare vicino alla stazione centrale.
4. Il cielo è nuvoloso: fra poco (cominciare) .... a piovere.
5. Sono senza macchina: (io-dovere) .... andare in ufficio a piedi.
6. Giuseppe il mese prossimo (dare) .... l'ultimo esame prima della laurea.
7. Domani nel mio ufficio (arrivare) .... una nuova segretaria.
8. Ho un forte mal di testa: stasera (chiamare) .... il medico.
9. (Noi-essere) .... molto felici, se (voi-tornare) .... ancora in Italia.
10. Domani le lezioni (cominciare) .... alle 9 e (finire) .... alle 12.
11. Sabato prossimo (noi-prendere) .... due giorni di ferie e (andare) .... al mare.
12. (Voi-invitare) .... anche Giorgio alla festa?

G. *Completate:*

	domanda		*risposta*
Andrea:	...............................?	*Aldo:*	Andrò in Grecia.
	...............................?		Partirò lunedì prossimo.
	...............................?		Ci andrò con Giulio.
	...............................?		Ci andremo con la moto.
	...............................?		Ci staremo due settimane.

Lunedì prossimo Aldo partirà con Giulio per la Grecia. Andranno con la moto e ci staranno due settimane.

	domanda		*risposta*
Andrea:	..............................?	*Laura:*	Stasera andrò al cinema.
	..............................?		Ci andrò con Marta.
	..............................?		L'ultimo film di Fellini.
	..............................?		Comincerà alle venti e dieci.
	..............................?		Finirà alle ventidue e trenta.
	..............................?		Dopo andremo a mangiare una pizza.

....

....

Andrea:	..............................?	*Pietro:*	Domenica andrò allo stadio.
	..............................?		Ci andrò da solo.
	..............................?		Inter-Milan.
	..............................?		Finirà alle 17.
	..............................?		Dopo andrò a trovare Enrica.

....

....

H. *Completate con i verbi indicati tra parentesi:*

1. (io-telefonare)
Ogni giorno .... a casa. Anche ieri .... ai miei genitori; domani invece non ....
2. (io-invitare)
Il mese prossimo .... i miei amici alla mia festa di compleanno. L'anno scorso invece non .... nessuno.
3. (io-studiare)
Domattina .... fino alle 10, ma stamattina non .... affatto.
4. (comprare)
Tutti i giorni Paolo .... «La Stampa». Ieri, invece, ... «Il Giorno».
5. (noi-guardare)
Ieri sera .... un programma musicale alla televisione. Stasera .... un film giallo. Ogni giorno .... il telegiornale.
6. (finire)
Ieri mattina la lezione .... alle 11. Domani.. alle 10. Oggi .... a mezzogiorno.
7. (loro-leggere)
Ieri notte .... il giornale fino a tardi. Fra poco .... il giornale di oggi. Tutte le mattine .... il giornale.
8. (scrivere)
Ieri pomeriggio Maria .... una lettera a suo padre. Adesso .... al suo fidanzato e domani .... alle sue amiche.
9. (io-prendere)
Domenica scorsa .... il sole al mare. Domenica prossima.. il sole in piscina.

10. (voi-partire)
.... dagli Stati Uniti due mesi fa. .... da Perugia fra dieci giorni.
11. (noi-andare)
Il prossimo fine-settimana .... ad Assisi. Lo scorso fine-settimana .... al mare. Quando siamo in Austria ogni fine-settimana .... in montagna.
12. (io-venire)
Domani .... alla mensa con voi. Anche ieri ci ....

I. *Trasformate secondo il modello:*

Paolo dice: «Farò un viaggio all'estero».
Paolo dice che farà un viaggio all'estero.

1. Paolo dice: «Cercherò una casa in campagna».
....
2. Paolo dice: «Domani andrò al mare».
....
3. Paolo dice: «Dopo cena scriverò una lettera a Maria».
....
4. Paolo dice: «Farò una dieta».
....
5. Paolo dice: «Finirò il lavoro venerdì».
....
6. Paolo dice: «Domani partirò per Mosca».
....

L. *Completate le frasi con i verbi «sapere» e/o «conoscere»:*

1. Rosina ....sa.................... cucinare molto bene.
2. Mio padre ....conosce.............. molto bene l'arte del '400.
3. (Io) .... quel ragazzo soltanto di vista.
4. Quei ragazzi .... il francese molto bene.
5. Alberto, ... il numero di telefono di Enrico?
6. Scusi, mi .... dire dove si trova il cinema «Modernissimo»?
7. (Tu) .... il marito di Silvana?
8. (Noi) .... che hai cambiato lavoro.
9. Benedetta .... suonare il pianoforte in modo stupendo!
10. Ti accompagno io da Carla: .... dove abita.
11. (Io) .... che Paolo ha deciso di partire subito.
12. Quella ragazza .... Venezia molto bene.

M. *Completate con le preposizioni:*

1. Un mese fa Giuseppina ha dato l'esame .... maturità.
2. .... due mesi Vincenzo partirà .... la Germania.
3. Noi staremo .... te fino .... 10 settembre.

4. Andrea studierà .... Italia, poi andrà .... Stati Uniti .... la specializzazione.
5. Se hai mal .... denti, devi andare .... dentista.
6. Pablo e Angelo hanno parlato .... loro futuro fino .... mezzanotte.
7. Sandro non conosce il numero .... telefono .... Mauro.
8. .... qualche giorno telefonerò .... Corrado .... Germania .... avere sue notizie.
9. Marta non è .... forma e .... lunedì comincerà una dieta.
10. .... nord e .... centro il cielo è nuvoloso, ... sud è sereno.
11. Frequento il primo anno ..... medicina e .... due settimane darò l'esame ..... chimica.
12. .... primavera andrò .... Praga .... visitare la città.

● ● ● ● ● ● ● ● ● ● ● ● ● ● ●

Confrontiamo...

Completate:

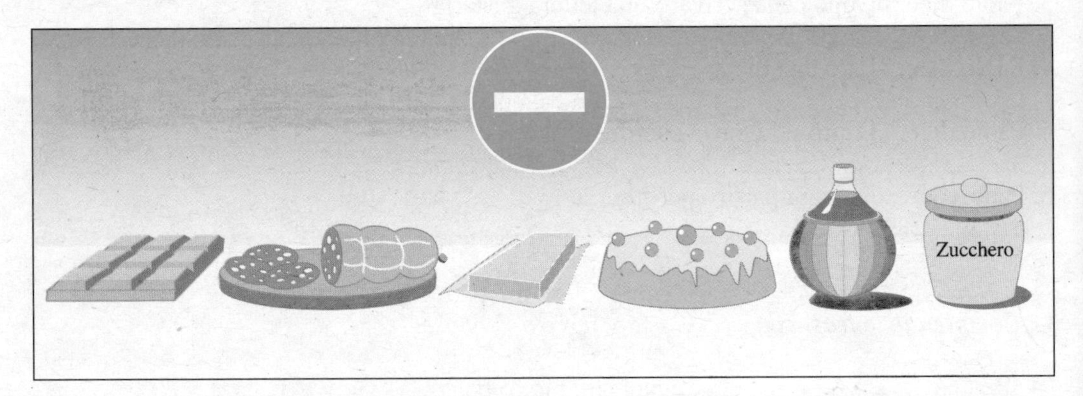

Oggi gli italiani mangiano meno ....di prima.

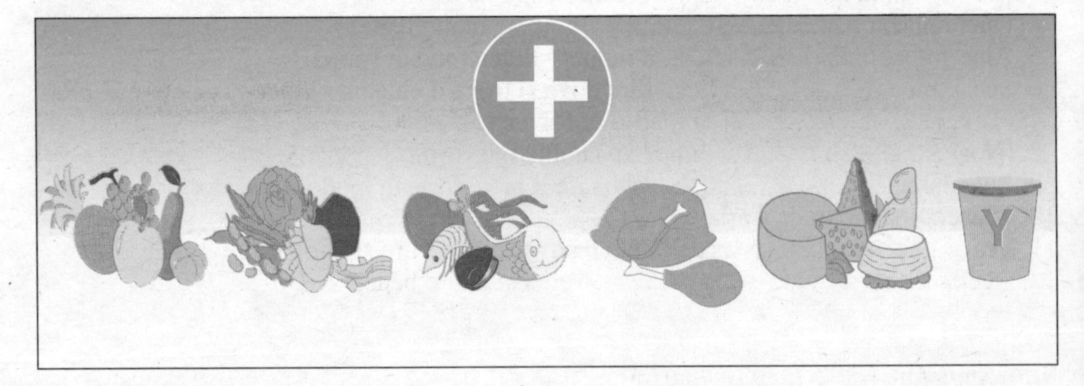

In futuro gli italiani mangeranno più ....di oggi.

Confrontate i cambiamenti delle abitudini alimentari degli italiani con le vostre.

Scrivete ad un amico (ad un'amica) una lettera simile alla seguente:

Cara Giuliana,
ho saputo che verrai a trovarmi e sono molto contenta. Spero che passerai qualche giorno qui a casa mia. Potremo andare a pattinare, potremo fare lunghe passeggiate; la campagna è bellissima in questa stagione.
Se vorrai, organizzeremo una cena con i vecchi compagni di liceo e staremo una serata tutti insieme.
Non vedo l'ora di incontrarti! A presto

Rossella

Caro / cara ....
Ho saputo che..
Spero che...
Potremo...
Se vorrai,...
Ciao! ....

Ascoltate il testo e completate:

Domenica prossima

Valeria	Claudio
1. resterà a casa	1. ....
2.	2. ....
3.	3. ....

La scuola in Italia

In Italia la scuola dell'obbligo comincia a sei anni con la scuola elementare, che dura cinque anni. Poi c'è la scuola media inferiore che dura tre anni.
Lo studente che vuole continuare gli studi può scegliere frai vari tipi di scuola superiore.
Al termine riceve un diploma di maturità.
A questo punto è libero di scegliere qualsiasi facoltà universitaria.

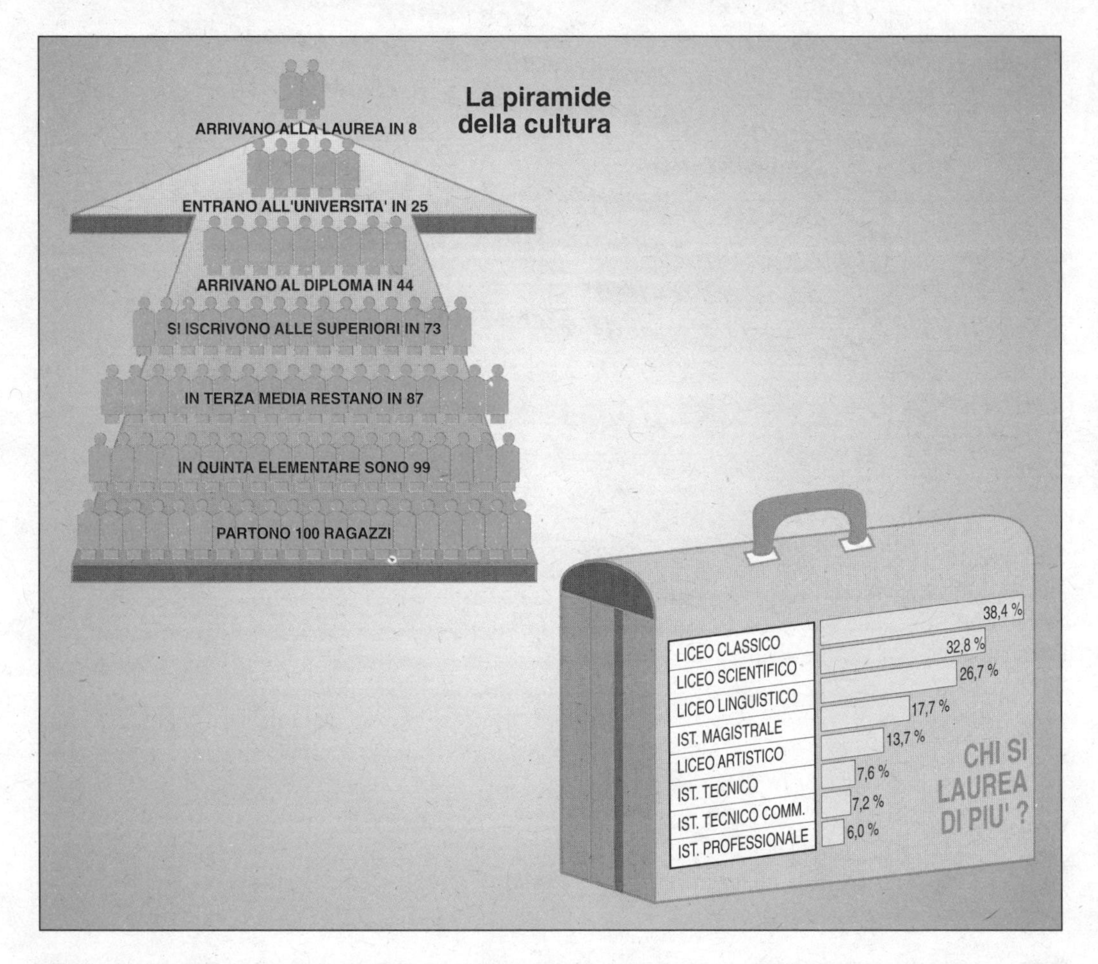

Chiedete al vostro compagno:

- che studi ha fatto
- se ha un diploma / una laurea
- che lavoro fa o vuole fare

Riferite alla classe le informazioni ricevute.

   *Ascoltate il testo e completate lo schema:*

	Facoltà	Anno	Ultimo esame	Voto
Maria	Giurisprudenza	....	Diritto internazionale	....
Filippo	Medicina	....	Anatomia	....
Davide	Veterinaria	....	Clinica chirurgica	....
Carla	Economia e Commercio	....	Prova scritta di matematica	....

Ascoltate la canzone e completate con i verbi mancanti (la canzone non è registrata; vi invitiamo a ricercare il disco):

Io vivrò (senza te)
(Battisti, Mogol - Ed. Fama / CAM / SIAE)

Che non si muore per amore
è una gran bella verità
perciò dolcissimo mio amore
ecco quello quello che
da domani mi accadrà
Io ....
senza te
anche se ancora non so
come io ....
Senza te
io senza te
solo ....
e dormirò
....
camminerò
....
qualche cosa farò
qualche cosa ....
sì, qualche cosa farò
qualche cosa di sicuro io farò
....

sì, io piangerò
E se ritorni nella mente
basta pensare che non ci sei
che sto soffrendo inutilmente
perchè so io lo so
io so che non tornerai
senza te
io senza te
solo ....
e...................
mi sveglierò
....
lavorerò
qualche cosa ....
qualche cosa farò
sì, qualche cosa farò
qualche cosa di sicuro io farò
....
sì, io piangerò
io, ...
io piangerò

test 1

Peppino

Peppino è un ragazzo alto, magro, con gli occhi scuri. Ha 22 anni e fa il meccanico. Ha frequentato la scuola media fino a 14 anni, poi ha cominciato a lavorare in un'officina vicino a casa sua.
Peppino ha una grande passione per i motori, ma il lavoro è faticoso: esce di casa ogni mattina alle 8, prende la moto e va all'officina, lavora fino all'una, fa una pausa per il pranzo e alle 14,30 ricomincia a lavorare fino alle 18.
Quando la sera torna a casa è molto stanco e va quasi sempre a letto prima delle 23. Il sabato sera, invece, va con gli amici in discoteca: può fare tranquillamente le ore piccole perché la domenica può dormire anche fino a mezzogiorno.
Peppino vuole aprire un'officina tutta sua: comincerà a risparmiare, metterà da parte un po' di soldi al mese e chiederà anche un prestito in banca. Fra qualche anno comprerà un garage e così lavorerà da solo. All'inizio forse non guadagnerà molto, ma sarà sicuramente più soddisfatto.

A. *Indicate la frase corretta relativa al testo letto:*

1. Peppino ha
   a) 14 anni
   b) più di 22 anni
   c) 22 anni
   d) circa 22 anni

2. Peppino
   a) va a scuola fino alle 14
   b) lavora tutto il giorno
   c) la mattina va a scuola e la sera lavora
   d) non fa niente tutto il giorno

3. Peppino va all'officina
   a) a piedi
   b) con la moto
   c) con la macchina
   d) con un amico

4. Ogni giorno esce dal lavoro
   a) dopo le 18
   b) alle 18
   c) prima delle 18
   d) alle 23

5. Il sabato sera Peppino
   a) va a letto molto tardi
   b) va a letto alle 23
   c) va a letto prima di mezzanotte
   d) va a letto presto

6. Peppino chiederà un prestito in banca
   a) per prendere in affitto un garage
   b) per cambiare la moto
   c) per aprire un'officina
   d) perché ha finito i soldi

B. *Rispondete alle domande:*

1. Quanti anni ha Peppino? ....
2. Che lavoro fa? ....
3. Quando ha cominciato a lavorare? ....
4. Come passa la giornata Peppino?

.... alle 8.

.... all'una.
.... alle 14,30.
.... alle 18.
.... prima delle 23.
5. Che cosa fa il sabato sera? ....
6. Che cosa vuol fare Peppino? ....

C. *Completate:*

Peppino fa progetti per il futuro:
«......................................, ..., ...,
......................................, ..., ...»

D. *Completate:*

Gli amici invitano Peppino ad uscire:
« ....».
Il lunedì sera Peppino risponde:
« ....».
Il sabato sera Peppino risponde:
« ....».

E. *Completate il racconto di Peppino, secondo l'esempio:*

Sabato scorso sono uscito di casa alle 20 (uscire di casa alle 20)
.... (incontrare gli amici al bar sotto casa)
.... (andare in pizzeria con la macchina di Piero)
.... (mangiare una pizza)
.... (chiacchierare un po')
.... (fare un giro in macchina)
.... (a mezzanotte andare in discoteca)
.... (ballare fino alle 3)
.... (tornare a casa)
.... (andare subito a letto)

F. *Ascoltate il testo e completate:*

	città	luogo
Michele	Todi	....
Gianni	Assisi	....
Gino	Gubbio	....
Peppino	–	....

G. *Completate con le preposizioni:*

Stamattina Peppino è uscito .... casa .... otto e un quarto. Non ha preso la moto, ma è andato .... piedi. Stasera lavora fino .... tardi; dopo il lavoro andrà .... pizzeria .... mangiare .... gli amici. Verso le ventitré tornerà .... casa, guarderà un po' la TV e .... mezzanotte andrà .... letto.

Dite:

- che tipo di studi avete fatto
- che lavoro fate
- quali progetti avete per il vostro lavoro

Descrivete la foto:

Unità 6

A. *Trasformate secondo il modello:*

> Io ho un vestito nuovo.
> Il mio vestito è nuovo.

1. Io ho un vicino di casa simpatico.
....
2. Tu hai un vestito elegante.
....
3. Stella ha i capelli lunghi.
....
4. Io ho le scarpe nuove.
....
5. Tu hai i guanti di lana.
....
6. Aldo ha una fidanzata francese.
....
7. Lorenzo ha i pantaloni neri.
....
8. Io ho gli occhiali da sole.
....
9. Tu hai un'amica carina.
....
10. Teresa ha un cappotto nuovo.
....
11. Giuseppe ha una camicia bianca.
....
12. Giovanna ha gli occhi azzurri.
....

B. *Trasformate secondo il modello:*

> Noi abbiamo un professore molto gentile.
> Il nostro professore è molto gentile.

1. Voi avete una macchina veloce.
....
2. Noi abbiamo i bambini piccoli.
....
3. Paola e Stefania hanno un lavoro interessante.
....
4. I miei amici hanno una casa in periferia.
....
5. Noi abbiamo un giardino pieno di fiori.
....
6. Voi avete dei professori bravi.
....
7. Franco e Lea hanno dei vicini di casa gentili.
....
8. Voi avete una macchina giapponese.
....
9. Noi abbiamo una famiglia numerosa.
....
10. Le mie amiche hanno un appartamento in centro.
....
11. Noi abbiamo un amico straniero.
....
12. Voi avete dei vicini di casa antipatici.
....

C. *Trasformate secondo il modello:*

Ho visitato la città di Emanuela.
Ho visitato la sua città.

1. Ho guardato le foto di Giorgio.
....
2. Ho conosciuto il ragazzo di Delia.
....
3. Ho salutato i genitori di Carlo.
....
4. Ho lavato la camicia di mio figlio.
....
5. Ho ascoltato le cassette di Paola.
....
6. Ho ricevuto la cartolina di Teresa.
....

D. *Trasformate secondo il modello:*

Ho visto l'appartamento dei signori Minardi.
Ho visto il loro appartamento.

1. Ho visto la casa di Elena e Maria.
....
2. Ho salutato gli zii di Carlo e Roberto.
....
3. Ho conosciuto le amiche di Lea e Ida.
....
4. Ho ricevuto la lettera dei miei amici.
....
5. Ho visitato la città dei signori Cosmi.
....
6. Ho ricevuto il pacco di Dino e Maria.
....

E. *Completate con gli aggettivi possessivi:*

1. Giorgio, questo è .... orologio?
2. Roberta, questi sono .... vestiti?
3. Signora, questa è .... macchina?
4. Direttore, queste sono .... sigarette?
5. Paolo, questi sono .... occhiali?
6. Signorina, queste sono .... chiavi?
7. Chiara, questo è .... maglione?
8. Professore, questi sono .... studenti?
9. Dottore, questa è .... borsa?
10. Ragazzi, questi sono .... motorini?
11. Ragazze, questa è .... casa?
12. Ragazzi, questa è .... classe?

F. *Completate secondo il modello:*

Giovanni, è tuo questo portafoglio?
Sì, è (il) mio.

1. Mauro, è tua questa motocicletta?
....
2. Pina, sono tue queste chiavi?
....
3. È di Claudio questa macchina?
....
4. È di Maria questo disco?
....
5. Sono vostre queste penne?
....
6. È di tuo padre questo portafoglio?
....

7. Sono tue queste sigarette?

....

8. È vostro questo cane?

....

9. Sono di Giulia questi libri?

....

10. Sono del tuo amico questi libri?

....

11. Sono di Roberto questi soldi?

....

12. È tua questa sciarpa?

....

G. *Trasformate secondo il modello:*

> I miei professori sono giovani.
> Il mio professore è giovane.

1. I miei vicini di casa sono americani.

....

2. Le sue sorelle abitano a Roma.

....

3. Le nostre ospiti vengono da Catania.

....

4. I vostri zii vengono spesso da voi?

....

5. Le mie insegnanti sono simpatiche.

....

6. I miei figli studiano all'Università.

....

7. I tuoi amici arrivano stasera?

....

8. Le loro figlie frequentano il liceo classico.

....

9. I suoi fratelli sono arrivati da Pisa ieri sera.

....

10. Le nostre cugine lavorano in una fabbrica di scarpe.

....

11. Le vostre amiche sono straniere?

....

12. I loro amici abitano in campagna.

....

H. *Completate con gli aggettivi possessivi:*

1. Stasera Lorenzo esce con .... fidanzata.
2. Carlo, a che ora torna da scuola .... sorella?
3. Non ricordo dove ho messo .... passaporto.
4. Signora, può darmi .... numero di telefono?
5. Ragazzi, avete messo in ordine .... camera?
6. Paola è stanca, è andata in camera ....
7. Giorgio, come sta .... padre?
8. Domenica andiamo a Siena: vengono anche................... amici con .... figlia.
9. «Che ore sono?». «Non lo so, ... orologio è fermo».
10. Aldo, stasera vengo a casa .... e facciamo quattro chiacchiere.
11. Prima di partire Silvia ha salutato .... amici.
12. Ragazzi, dovete prendere .... macchina, la mia è senza benzina.

I. *Trasformate secondo il modello:*

Matteo dice: «La mia amica è spagnola».
Matteo dice che la sua amica è spagnola.

1. Matteo dice: «Il mio cappotto è nuovo».
....
2. Matteo dice: «I miei guanti sono di lana».
....
3. Matteo dice: «La mia fidanzata è francese».
....
4. Matteo dice: «Le mie sorelle hanno una macchina nuova».
....
5. Matteo dice: «Mio padre fa l'avvocato».
....
6. Matteo dice: «Mio fratello va ancora a scuola».
....

L. *Trasformate secondo il modello:*

I signori Rossi dicono: «La nostra casa è grande».
I signori Rossi dicono che la loro casa è grande.

1. I signori Rossi dicono: «Il nostro giardino è pieno di fiori».
....
2. I signori Rossi dicono: «Il nostro cane è un vero amico».
....
3. I signori Rossi dicono: «La nostra macchina non funziona bene».
....
4. I signori Rossi dicono: «Le nostre figlie vanno ancora a scuola».
....
5. I signori Rossi dicono: «Nostro figlio fa l'insegnante».
....
6. I signori Rossi dicono: «Nostra figlia ha già il motorino».
....

● ● ● ● ● ● ● ● ● ● ● ● ● ● ●

Ascoltate il testo e completate lo schema:

	che cosa ha perso	in quale stanza	dove
Vincenzo	....	....	tavolino davanti alla televisione
Maria	....	....	scrivania
Francesco	....	....	scatola

Ascoltate il testo e scrivete per ogni servizio il numero telefonico corrispondente:

Soccorso pubblico di emergenza

....

Vigili del fuoco

....

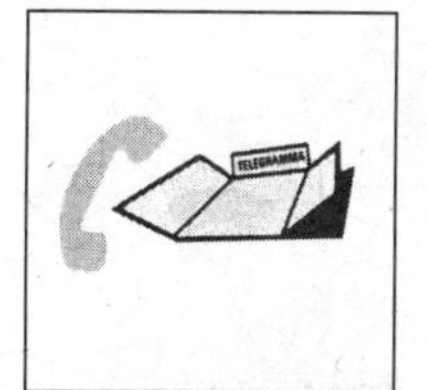

Dettatura telegrammi nazionali ed esteri

....

Sveglia automatica

....

Ora esatta

....

Ultime notizie RAI

....

Chiamate urgenti

....

Segnalazione guasti di apparecchi normali e pubblici

....

● ● ● ● ● ● ● ● ● ● ● ● ● ● ●

M. *Completate con l'aggettivo «quello»:*

1. Vedi .... ragazzo? Si chiama Giovanni.
2. Vedi .... signora? È la moglie del direttore.
3. Vedi .... bambini? Sono i figli di Giorgio.
4. Vedi .... signorina? È la fidanzata di Luca.
5. Vedi .... studente? Viene dall'Australia.
6. Vedi .... ragazze? Sono sorelle.
7. Vedi .... studenti? Vengono dal Giappone.
8. Vedi .... signore? È il professore di matematica.
9. Vedi .... signori? Abitano vicino a casa mia.
10. Vedi .... ragazzi? Sono arrivati qui un mese fa.
11. Vedi .... signore? Sono le zie di Francesca.
12. Vedi .... uomo? È il padre di Chiara.

N. *Completate con gli aggettivi «quello» o «bello»:*

1. Se fa .... tempo, domani andiamo in campagna.
2. Chi abita in .... casa?
3. Scusi, quanto costa .... vestito rosso in vetrina?
4. Andiamo in piscina? D'accordo, è proprio una .... idea.
5. Che .... giornata! Ho voglia di fare quattro passi.
6. Di chi è .... portafoglio? È tuo?
7. Come si chiamano .... ragazzi seduti al primo banco?
8. Dopo pranzo, ho fatto una .... passeggiata in giardino.
9. Per Natale Lucia ha ricevuto tanti .... regali.
10. I figli di Carlo e Mara sono due .... bambini.
11. Ricordi .... viaggio che abbiamo fatto a Venezia? È stato bello, vero?
12. Per il suo compleanno Elena ha ricevuto un .... mazzo di rose rosse.

O. *Completate con le preposizioni:*

1. Michele è stufo .... andare .... piedi .... Università.
2. La macchina .... mia madre è .... meccanico.
3. Stasera Sebastiano vuole andare .... centro .... la sua ragazza.
4. La Lancia Thema costa un sacco .... soldi e i signori Pini la pagheranno .... rate.
5. I miei zii compreranno un'auto .... seconda mano e la pagheranno .... contanti.
6. Il maglione .... mia sorella è .... lana.
7. Marta ha studiato l'inglese .... scuola.
8. L'amica .... mia sorella lavora .... una fabbrica .... scarpe.
9. Abito .... la mia famiglia .... un appartamento vicino .... stazione.
10. Più tardi vado .... mio padre .... chiedergli un consiglio.
11. Sabato vado .... mio fratello e .... le mie sorelle ..... trovare i nonni ..... campagna.
12. Ho comprato un regalo .... i miei genitori e .... mia sorella.

P. *Completate con le preposizioni:*

1. Tutte le sere mio padre guarda la TV fino .... tardi.
2. .... dicembre andiamo .... mare .... Africa .... un gruppo .... amici.
3. Stasera Francis telefona .... suoi genitori che vivono .... Briançon .... Francia.
4. Stella e Bruno partono .... gli Stati Uniti .... aereo.
5. Ho l'abitudine .... fare colazione .... bar.
6. Sono .... Italia .... un mese e comincio .... capire e .... parlare l'italiano.
7. Le lezioni cominciano .... nove e finiscono .... mezzogiorno.
8. Domattina devo andare .... prendere Marco .... stazione.
9. Giulio abita davanti .... casa mia, vicino .... supermercato.
10. Grazia va .... biblioteca .... restituire un libro.
11. .... undici la lezione finisce: gli studenti escono .... aula e vanno .... fare un giro .... centro.
12. Robert e Paul vanno .... Stati Uniti .... New York.

Completate con i nomi dei membri della vostra famiglia:

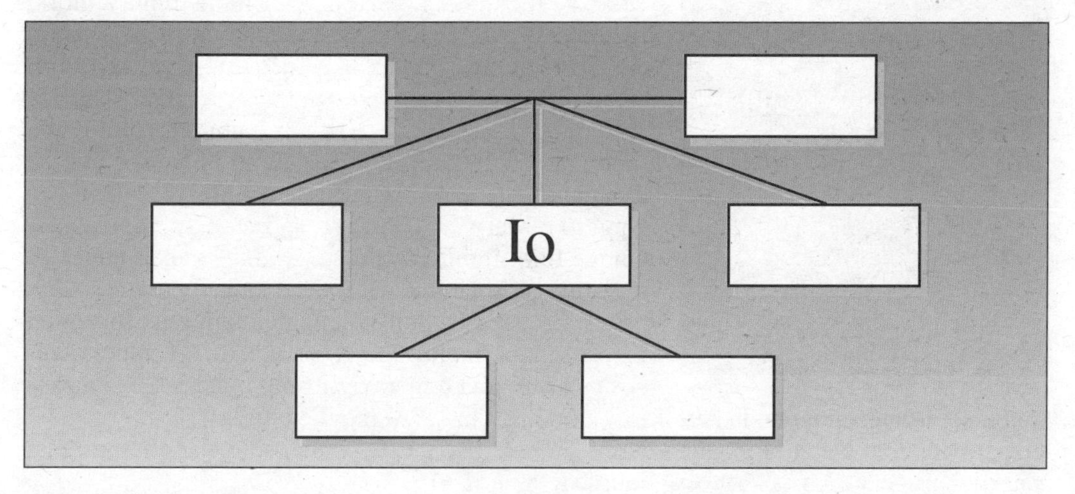

Chiedete al vostro compagno notizie sui suoi familiari (età, attività,....).

Scambiatevi le parti.

Mario, 30 anni, di Roma.

Q. *Completate con i verbi:*

Vita da «single»

«Da quando .... solo, ... finalmente alzarmi di notte, ... la luce, ... il caffè, ... a letto. Se non .... voglia, la mattina non .... in ordine la casa, ... e .... all'ora che voglio, ... anche fino alle due di notte.

.... un uomo libero: .... cambiare lavoro, casa e città senza discutere con nessuno, non .... troppe responsabilità, ... molto tempo per gli amici e per i miei hobby».

Attualmente in Italia i «single» sono più di quattro milioni. Le previsioni per il Duemila parlano di una famiglia italiana su cinque composta da una persona.

Antonio, 56 anni, emigrato in Australia (nella foto è con la moglie Mary).

Vita di famiglia

«... l'Italia trenta anni fa; .... da un piccolo paese dell'Abruzzo per .... lavoro in Australia.
A Sydney .... subito lavoro in una fabbrica, ... molti italiani, e in casa di amici .... Mary.
Oggi io e Mary .... sposati e .... cinque figli: il più grande .... venticinque anni, la più piccola .... dieci anni.
.... felice della mia famiglia, forse non .... molto libero, ... sempre qualcosa da fare, ma è meraviglioso .... a casa e .... moglie e figli.
Non .... mai solo e soprattutto mai inutile».

Unità 7

A. *Trasformate secondo il modello:*

Mi sveglio presto la mattina.
Ci svegliamo presto la mattina.

1. Ogni giorno mi alzo alle sette.
....
2. Ti svegli presto la mattina?
....
3. Paolo si pettina sempre con cura.
Paolo e Giorgio......................................
4. Ti alzi sempre a quest'ora?
....
5. Claudia si veste in modo elegante.
Claudia e Pina.......................................
6. Mi trucco prima di uscire.
....

B. *Trasformate secondo il modello:*

Ci sediamo sul banco.
Mi siedo sul banco.

1. Ci divertiamo in questa città.
....
2. Vi trovate bene con questa famiglia?
....
3. Franco e Maria si addormentano tardi la sera.
Franco ....
4. Vi fermate ancora in Italia?
....
5. Franco e Maria si vestono in fretta la mattina.
Maria...
6. Ci guardiamo nello specchio mentre ci pettiniamo.
....

C. *Rispondete secondo il modello:*

A che ora ti svegli?
Mi sveglio alle otto.

1. A che ora vi alzate?
.... alle otto.
2. A che ora vi addormentate?
.... prima di mezzanotte.
3. A che ora si sveglia Giovanni?
.... alle sette.
4. Quanto tempo ti fermi a Londra?
.... un paio di settimane.
5. Come si trova Adriana in questa città?
.... bene.
6. Quando ti laurei?
.... a giugno.
7. Quando vi iscrivete all'Università?
.... prima del 4 novembre.

8. Che cosa si mette Gianna per andare alla festa?
.... un vestito elegante.
9. A che ora si addormenta la sera, signora?
.... prima delle undici.
10. Quando si sposa Luisa?
.... a marzo.
11. Fino a che ora si riposano i tuoi genitori?
.... fino alle quattro.
12. Con chi ti diverti?
.... con gli amici.

D. *Osservate i disegni e completate, secondo l'esempio:*

1.

Il professore e gli studenti si salutano.

2.

Paolo e i suoi amici .... al bar.

3.

Ada e Carlo ....

4.

Mario e Flora ....

5.

Andrea e Alessandra .... molto.

6.

Maggio

Paolo e Tea .... a maggio.

E. *Trasformate secondo il modello:*

Quando esce, Paolo si mette il cappello.
Anche ieri si è messo il cappello.

1. Ogni mattina mi sveglio alle sette.
   Anche ieri ....
2. Ogni giorno Sandro si fa la barba.
   ....
3. Spesso mi dimentico di chiudere la porta a chiave.
   ....
4. Ogni giorno le bambine si divertono al parco.
   ....
5. Spesso gli studenti si fermano al bar dopo la lezione.
   ....
6. Spesso Marina si arrabbia con i figli.
   ....

F. *Rispondete secondo il modello:*

A che ora vi siete svegliati stamattina? (alle nove)
Ci siamo svegliati alle nove.

1. A che ora ti sei alzata stamattina?
   .... alle sei.
2. Quando si è sposato, signor Vinci?
   .... dieci anni fa.
3. Quanto tempo vi siete fermati in Germania?
   .... una settimana.
4. Come si è trovato Fausto a Parigi?
   .... molto bene.
5. Fino a che ora ti sei fermata da Claudia?
   .... fino alle otto.

6. Quando ti sei laureato?
.... a febbraio.
7. Quando si è sposato Giorgio?
.... a maggio.
8. A che ora vi siete addormentati ieri sera?
.... a mezzanotte.
9. Quando si è iscritta all'Università Elena?
.... l'anno scorso.
10. Dove si è seduto lo studente?
.... sulla sedia.
11. Che cosa si è messa Luisa per andare alla festa?
.... un vestito nero di seta.
12. Quando vi siete laureate?
.... a luglio.

G. *Trasformate secondo il modello:*

> Mi sveglio alle sette.
> Devo svegliarmi alle sette.
> Mi devo svegliare alle sette.

1. Mi alzo subito.
....
....
2. Ti prepari sempre in fretta?
....
....
3. Franca si ricorda di portare l'ombrello.
....
....
4. Ci svegliamo presto la mattina.
....
....
5. I bambini si riposano dopo la scuola.
....
....
6. Vi alzate subito quando suona la sveglia?
....
....

H. *Completate con il verbo indicato fra parentesi:*

1. Ogni giorno Paolo (alzarsi) .... alle 7; anch'io ho l'abitudine di (alzarsi) .... alle 7.
2. Gli studenti sono stanchi perché ieri sera (addormentarsi) .... molto tardi; anche Valentina ieri sera (addormentarsi) .... tardi.
3. Carlo (farsi) .... la barba tutte le mattine; anche stamattina (farsi) .... la barba.
4. Per andare alla festa di Giorgio, domani sera Maria (mettersi) .... un vestito elegante.
5. Ieri sera è piovuto molto: siamo usciti senza ombrello e (bagnarsi) .... dalla testa ai piedi.
6. Ho visto i miei amici al bar e (fermarsi) .... un po' con loro.
7. Stella e Paola non (ricordarsi) .... mai di portare il libro di grammatica; anche stamattina (dimenticarsi) ....
8. Gianni (laurearsi) .... l'anno scorso, io invece voglio (laurearsi) .... a febbraio.
9. Ogni giorno Federico e Simone (incontrarsi) .... in autobus e

(salutarsi)........................... . Anche stamattina (incontrarsi) ....
e (salutarsi) ....
10. Stamattina Gabriella non (truccarsi) ...., perché (svegliarsi) .... tardi.
11. Domenica scorsa siamo andati ad una festa e (divertirsi) .... molto.
12. L'autobus per il centro (fermarsi) .... sempre davanti a casa mia, stamattina però non (fermarsi) ....

I. *Completate con i verbi indicati sotto:*

Paola e Antonio

Paola e Antonio .... in treno, l'anno scorso. All'inizio non ...., poi Paola .... il giornale ad Antonio. Così .... a chiacchierare del più e del meno. Quando .... a Roma, Paola .... ad Antonio il suo numero di telefono. .... molte volte, ... al ristorante, al cinema, a fare qualche gita nei dintorni di Roma.
Dopo 6 mesi .... e la primavera prossima ....

(andare, conoscersi, chiedere, sposarsi, cominciare, arrivare, dare, parlare, incontrarsi, fidanzarsi).

L. *Completate con le preposizioni:*

1. Giorgio lavora .... fabbrica e fa il turno .... notte.
2. Maria finisce .... lavorare .... sei .... mattina.
3. Carlo e Anna si salutano davanti .... porta .... casa.
4. Giulia mette .... ordine la camera prima .... andare .... letto.
5. Elena si lava sempre .... l'acqua fredda.
6. Stamattina non sono riuscito .... trovare un meccanico .... riparare la macchina.
7. Mi sveglio spesso .... cattivo umore.
8. Ho l'abitudine .... svegliarmi .... sette.
9. Mi devo ricordare .... telefonare .... miei genitori.
10. Vado .... cucina .... fare colazione .... Nicola.
11. Gli studenti non riescono .... capire tutte le parole .... professore.
12. Ho bisogno .... parlare .... Pietro.

M. *Completate:*

«Beautiful»

Il signor Rossi è stanco: .... lavorato tutto il giorno e .... vuole riposarsi; accende la TV .... si sdraia sul divano del ....: fra poco giocherà la sua .... del cuore e non vuole .... la partita.

Dopo pochi minuti .... un rumore e vede la .... che entra in salotto per .... le pulizie con l'aspirapolvere: .... signora Rossi ha la faccia .... e sembra di cattivo umore.

.... signor Rossi si alza e .... la moglie, non vuole proprio .... con lei, preferisce uscire subito .... casa. Si mette la giacca, ... il cappello e va a .... quattro passi.

Dopo che il .... è uscito, la signora Rossi .... di fare le pulizie, si .... soddisfatta sul divano e come .... giorno guarda il suo programma ....: una nuova puntata di «Beautiful».

Il risveglio di Giorgio

Raccontate la storia utilizzando le seguenti indicazioni:

1. la sveglia suonare
2. Giorgio alzarsi
3. togliersi il pigiama
4. farsi la barba
5. lavarsi i denti
6. ascoltare le notizie alla radio
   mettersi la cravatta
7. preoccuparsi
8. spaventarsi
9. cominciare a tremare
10. spegnere la radio
    togliersi la cravatta
11. rimettersi il pigiama
12. tornare a letto

Raccontate la storia osservando le vignette:

Suona la sveglia: Giorgio ....

● ● ● ● ● ● ● ● ● ● ● ● ● ● ●

La giornata dell'Avvocato

Ho chiesto all'Avvocato il resoconto di una sua giornata:
«Mi sveglio alle sei, ricevo i giornali, mezz'ora dopo faccio le telefonate oltre Atlantico, così non interrompo il sonno di nessuno. Poi passo all'Italia e qualcuno, mi dispiace, si sveglia con la mia voce. Alle 7,30 mi alzo e mi vesto; alle 8,15 sono in ufficio dove rimango fino all'ora di pranzo; dormo fino alle 15,30, poi torno a lavorare fino alle 20.
Come passo il mio tempo dietro la scrivania? Un terzo in appuntamenti, un terzo per le lettere, il resto in riunioni. In questi ultimi anni sono stato più a Roma che a Torino, e ho fatto meno viaggi all'estero.
Ho il cinema in casa; una sera su due vedo un film, forse un po' meno. Fra le undici e mezzanotte vado a letto, e prima della mezza mi addormento».

(Adatt. da Enzo Biagi, *Il signor Fiat*, Rizzoli 1976)

Gianni Agnelli, l'Avvocato.

Completate lo schema:

6.00	l'Avvocato si sveglia
6.30	....
7.30	....
8.15	....
15.30	....
20.00	....
23.00-24.00	....

Completate il racconto:

L'avvocato Agnelli..

Ascoltate il testo e osservando il menù dite che cosa prendono i due amici:

Trattoria «La Locanda di San Francesco»

primi piatti

Spaghetti al ragù
Spaghetti alla carbonara
Spaghetti all'amatriciana
Tagliatelle al pomodoro
Zuppa di verdure

secondi piatti

Scaloppine al limone
Filetto alla griglia
Filetto al pepe verde
Pollo arrosto
Bistecca alla brace

contorni

Insalata verde
Insalata mista
Insalata di pomodori
Patate fritte
Funghi porcini

dolci

Panna cotta al cioccolato
Tiramisù
Dolce di castagne Monte Bianco
Millefoglie
Crostata di more

Teresa	**Carlo**
....	....
....	....
....	....
....	....

Scrivete una breve lettera ad un amico (ad un'amica), nella quale descrivete la vostra giornata di studente. Indicate:

- le abitudini della mattina
- quando, dove e con chi mangiate
- le abitudini del pomeriggio
- le abitudini della sera

Unità 8

A. *Trasformate secondo il modello:*

> Mentre dormo, suona la sveglia.
> Mentre dormivo, è suonata la sveglia.

1. Mentre mangio, arrivano i miei amici.
....
2. Mentre Paolo esce, suona il telefono.
....
3. Mentre leggo il giornale, bussano alla porta.
....
4. Mentre Elisabetta esce di casa, comincia a piovere.
....
5. Mentre telefoniamo a Stefano, lui arriva.
....
6. Mentre i bambini guardano la TV, va via la luce.
....

B. *Trasformate secondo il modello:*

> Mentre mangio, guardo la TV.
> Mentre mangiavo, guardavo la TV.

1. Mentre aspetta l'autobus, Lorenzo legge il giornale.
....
2. Mentre ascoltano il professore, gli studenti prendono appunti.
....
3. Mentre Gabriella parla, io penso ad altre cose.
....
4. Mentre i bambini studiano, Marina guarda la TV.
....
5. Mentre Luigi fa colazione, parla con sua moglie.
....
6. Mentre tu prepari le valigie, noi telefoniamo alla stazione.
....

C. *Trasformate secondo il modello:*

> Da ragazzo andavo spesso al cinema.
> Simone, invece, ci andava raramente.

1. Da ragazzo, la sera, restavo spesso a casa.
   Simone, invece, ...
2. Da ragazzo stavo spesso con gli amici.
   ....
3. Da ragazzo mangiavo spesso alla mensa.
   ....

4. Da ragazzo andavo spesso al bar con gli amici.
....
5. Da ragazzo rimanevo spesso dai nonni.
....
6. Da ragazzo andavo spesso in campeggio.
....

D. *Trasformate secondo il modello:*

Quando ero bambino giocavo sempre da solo. Da bambino non giocavo mai da solo.

1. Quando ero bambino stavo sempre con i nonni.
....
2. Quando ero ragazzo studiavo sempre a casa.
....
3. Quando ero studente mangiavo sempre alla mensa.
....
4. Quando ero giovane uscivo sempre la sera.
....
5. Quando ero piccolo andavo sempre in bicicletta.
....
6. Quando ero giovane facevo sempre sport.
....

E. *Rispondete secondo il modello:*

Che cosa facevi quando hanno bussato alla porta? (dormire) Quando hanno bussato alla porta, dormivo.

1. Che cosa facevi quando ha suonato il telefono? (mangiare)
....
2. Che cosa facevi quando Antonio è tornato? (dormire)
....
3. Che cosa facevi quando Giovanni ha telefonato? (studiare)
....
4. Che cosa facevi quando i bambini sono arrivati a casa? (ascoltare la musica)
....
5. Che cosa facevi quando hai incontrato Carlo? (fare la spesa)
....
6. Che cosa facevi quando è andata via la luce? (guardare la TV)
....

F. *Completate secondo il modello:*

Paola non (uscire) .... perché (avere) .... mal di testa. Paola non è uscita perché aveva mal di testa.

1. Giorgio non (telefonare) .... a Pina perché non (sapere) .... il numero.
2. I bambini non (mangiare) .... la carne perché non (avere) .... fame.

3. Maria non (andare) .... a lezione perché (stare) .... male.
4. I ragazzi stanotte (addormentarsi) .... tardi perché non (avere) .... sonno.
5. Marta non (aspettare) .... Ivo perché (avere) .... fretta.
6. Carlo (andare) .... al bar perché (volere) .... bere una birra.
7. Non (io-scrivere) .... a Bruno perché non (sapere) .... l'indirizzo.
8. Non (noi-dare) .... l'esame perché non (essere) .... preparati.
9. Anna non (uscire) .... con gli amici perché (dovere) .... studiare.
10. Non (voi-comprare) .... quella macchina perché (costare) .... troppo.
11. Lucio non (spedire) .... la lettera perché non (avere) .... il francobollo.
12. (Io-chiudere) .... la finestra perché (sentire) .... freddo.

G. *Completate con un tempo passato (imperfetto o passato prossimo):*

1. Giorgio (telefonare) .... a Maurizio, poi (uscire) .... con Adriana.
2. Mentre (io-fare) .... colazione, (arrivare) .... i miei amici.
3. Quando Francesco (essere) .... bambino, (giocare) .... spesso da solo.
4. Mentre Claudio (nuotare) ...., Anna (prendere) .... il sole.
5. Da bambino durante le vacanze (io-andare) .... in campagna dai nonni.
6. Stamattina Franco (parlare) .... al telefono con Anna fino all'una.
7. Sabato scorso (noi-viaggiare) .... tutto il giorno.
8. Mentre i bambini (aspettare) .... l'autobus, (cominciare) .... a piovere.
9. Le mie sorelle (frequentare) .... un corso di tedesco per sei mesi.
10. Non (io-telefonare) .... a Dirk, perché (io-essere) .... troppo stanco.
11. Ieri sera (io-mangiare) ...., poi (guardare) .... la TV.
12. Mentre Valeria (dormire) ...., qualcuno (bussare) .... alla porta.

H. *Completate con un tempo passato (imperfetto o passato prossimo):*

1. (Voi-avere) .... lezione dalle otto alle nove.
2. Giorgio non (salutare) .... i suoi amici, perché (avere) .... fretta.
3. Maria (lasciare) .... il suo ragazzo, perché (lui-essere) .... troppo geloso.
4. I bambini (essere) .... molto stanchi, perciò (andare) .... a letto presto.
5. Da giovane mio padre (sciare) .... molto bene.
6. Mentre mia nonna (guardare) .... la TV, (addormentarsi) ....
7. Di solito la sera al mare Marco (uscire) .... con gli amici.
8. Quando (io-essere) .... nel mio paese, durante il fine-settimana (fare) .... delle gite con gli amici.

9. Pietro (partire) .... perché (essere) .... stufo di questa città.
10. Mentre (io-preparare) .... la cena, (telefonare) ....
mia madre.
11. Quando i bambini (tornare) .... da scuola, (noi-cominciare)
.... a pranzare.
12. Ieri (io-addormentarsi) .... a mezzanotte.

I. *Rispondete secondo il modello:*

> Perché hai smesso di studiare? (studiare abbastanza).
> Ho smesso di studiare perché avevo studiato abbastanza.

1. Perché hai smesso di lavorare? (lavorare abbastanza)
....
2. Perché hai smesso di mangiare? (mangiare abbastanza)
....
3. Perché hai smesso di parlare? (parlare abbastanza)
....
4. Perché hai smesso di bere? (bere abbastanza)
....
5. Perché hai smesso di leggere? (leggere abbastanza)
....
6. Perché hai smesso di giocare a calcio? (giocare abbastanza)
....

L. *Trasformate secondo il modello:*

> L'autobus non c'è: è partito.
> L'autobus non c'era: era partito.

1. Giorgio non c'è: è uscito.
....
2. Antonio non c'è: è andato a casa.
....
3. Sebastiano non c'è: è rimasto dai suoi genitori.
....
4. Maria non c'è: è salita in soffitta.
....
5. I ragazzi non ci sono: sono partiti.
....
6. Le bambine non ci sono: sono andate dai nonni.
....

● ● ● ● ● ● ● ● ● ● ● ● ● ● ●

Carmen Llera racconta

Carmen Llera con il marito Alberto Moravia.

Marina Ceratto ha intervistato la moglie di Alberto Moravia, Carmen Llera, pochi mesi prima della morte del marito:

«Alberto si sveglia tutte le mattine alle sei. Accende la televisione e guarda la videomusica, poi segue le trasmissioni dedicate al giardinaggio. Si alza alle sette e fa la doccia. Alle sette e mezzo è vestito e viene in cucina a fare colazione con me. Prende prima uno yogurt con un caffè e subito dopo un tè con pane e miele. Alle otto comincia a scrivere e rimane seduto al tavolino circa tre ore».

Immaginate che Carmen Llera risponda oggi all'intervista:

«Alberto ....

....

....

....».

Una gita al lago Trasimeno

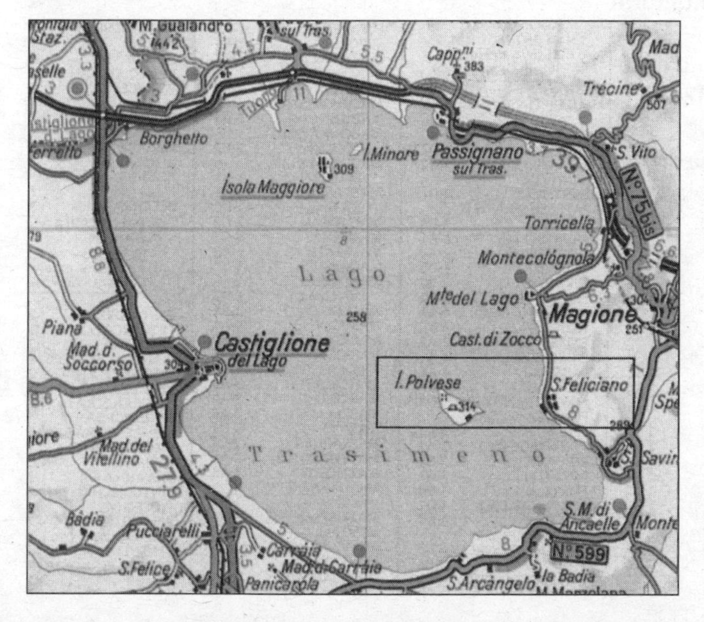

Alcuni giorni fa Roberto ha fatto una gita al lago Trasimeno con i suoi amici e suo fratello.
Quando era bambino, Roberto andava tutte le domeniche al lago con la sua famiglia per fare il bagno e prendere il sole.
I ragazzi sono partiti alle sette di mattina con la macchina di Roberto.
La giornata era meravigliosa: il cielo era sereno e il sole caldo. Il viaggio non è stato lungo perché il lago si trova a circa 25 chilometri da Perugia.

A San Feliciano hanno preso il traghetto per l'Isola Polvese. Appena arrivati, hanno camminato un po', poi sono andati alla spiaggia. Il lago era calmo e l'acqua non troppo fredda; c'erano già molti turisti con motoscafi, barche a vela e wind-surf. I ragazzi hanno giocato a pallone sulla spiaggia, e dopo hanno fatto il giro dell'isola. Il panorama era splendido: era possibile vedere anche l'Isola Maggiore e l'Isola Minore. Alla fine del giro, sono arrivati al Castello: hanno potuto visitarlo perché era ancora aperto.

A mezzogiorno sono tornati a San Feliciano, dove hanno pranzato in un grazioso ristorante sul lago.

Rispondete alle domande:

1. Dov'è andato Roberto alcuni giorni fa?
2. Con chi c'è andato?
3. Che cosa faceva Roberto da bambino?
4. A che ora sono partiti i ragazzi?
5. Com'era il tempo?
6. Che cosa hanno fatto appena arrivati a San Feliciano?
7. Che cosa hanno fatto all'Isola Polvese?
8. Com'era il lago?
9. Com'era il panorama?
10. Dove sono andati alla fine del giro?
11. Dove hanno pranzato?

Completate:

Una gita a ....
.... giorni fa ho fatto una gita a ....
con ....
Da bambino / a ....

Siamo partiti alle .... con ....
La giornata ....
Il viaggio è stato breve / lungo, perché ....
si trova vicino / lontano...
Quando siamo arrivati...
Poi ....
(Non) ci siamo divertiti, perché ....

• • • • • • • • • • • • • • •

M. *Completate con un tempo passato (imperfetto, passato prossimo)*

Lettera al Direttore

Vorrei raccontare una storia triste...
(Essere) .... una sera buia e fredda e le strade (essere) .... bianche di neve. Come al solito (io-tornare) .... a casa dalla fabbrica dove (lavorare) .... Ad un tratto (vedere) .... in mezzo alla strada qualcosa che si muoveva e (io-avvicinarsi) .... (Essere) .... un cagnolino, (sentire) .... freddo ed (essere) .... tutto bagnato. Io non (sapere) .... che cosa fare.
Dopo un po' (io-prendere) .... il cucciolo, (andare) .... a casa e gli (dare) .... un po' di latte caldo.
Adesso è Chicco, un vero amico.

Maria Paola, Chieti

Risposta:

Grazie, speriamo che altre persone avranno voglia di tenerezza verso gli animali, come Lei.

Descriviamo...

Osservate i disegni e completate:

Quando facevo la scuola elementare, avevo un compagno di banco che si chiamava Roberto: era alto, magro, aveva i capelli ricci e corti. Non era molto bravo, aveva poca voglia di studiare, spesso non faceva i compiti...

1.

Quando ero al liceo, avevo una compagna di banco ....
....
....
....
....
....
....

Descrivete il compagno (la compagna) di banco che ricordate.

Adesso abito al centro di Verona. Prima abitavo in un piccolo paese, in una casa vicino alla chiesa. Era una casa vecchia non molto grande, e molto tranquilla. Davanti c'era un piccolo giardino dove tenevamo un cane e due gatti.

2.

Adesso abito in un piccolo paese in collina. Prima abitavo ....
....
....
....
....
....
....

Descrivete la casa dove abitavate prima.

Raccontiamo...

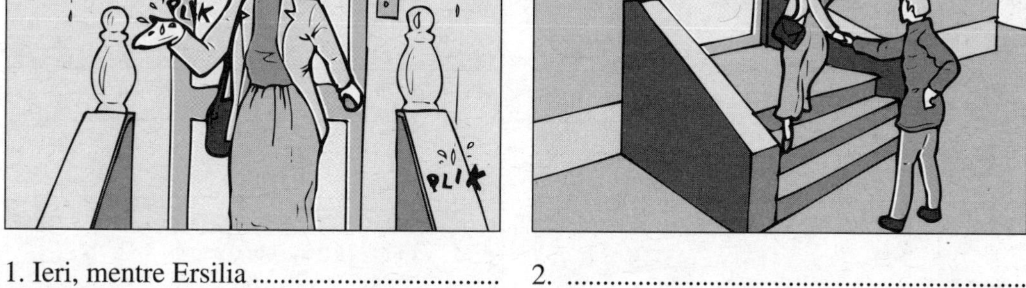

1. Ieri, mentre Ersilia ....

2. ....

3. ....

4 ....

5. ....

6. ....

→

7. ....
....

8. ....
....

9. ....
....

10. ....
....

Costruite delle brevi storie, utilizzando le seguenti parole:

sabato scorso
ristorante
ladro
appuntamento
amico
portafoglio

un mese fa
ragazza
benzina
macchina
notte
freddo

Natale

regali

amici

cena

pacco

gatto

il 22 marzo

Roma

viaggio

ospedale

lavoro

telefono

Gianna

gemelli

Osservate le foto e parlate dei ricordi che ogni immagine vi suggerisce:

Come si partecipa al concorso

(Adatt. da «La Repubblica», 31 gennaio 1991)

«Eravamo così» è il tema del concorso fotografico che «La Repubblica» fa per i suoi lettori. Per partecipare occorre inviare una foto al nostro giornale (**via Parmeggiani 8, 40121 Bologna**).
I lettori hanno piena libertà di scelta sui soggetti e sulle situazioni. La data delle foto non deve comunque superare l'anno 1950.
Il formato deve essere almeno di cm 9 × 12 e la foto in bianco e nero. Sul retro della foto il lettore deve indicare la data e una breve descrizione dei personaggi e delle situazioni.
Il lettore deve inoltre indicare le proprie generalità: nome, cognome, indirizzo e numero di telefono.
La foto migliore della settimana riceverà un premio.

Il premio

1 settimana a Parigi in treno da Bologna per una persona (prima classe in vagone letto), alloggio in albergo 3 stelle BB, offerta da **Cosepuri Viaggi**, via E. Novelli 4/c.
1 «grande cesto» della **Corte dei Sapori**, via Cairoli 11, tel. 229207, con tanti prodotti dell'artigianato alimentare bolognese.

Completate:

Tema del concorso: ....
Soggetto della fotografia: ....
Data della fotografia: ....
Formato della fotografia: ....
Indicazioni sul retro della foto: ....
....
....
....
....

Descrivete la foto migliore di questa settimana (data: 1930) e dite che cosa ha vinto:
....
....

Ascoltate il testo e completate:

Marco e Valeria hanno fatto ....
Marco ha trovato tempo ....
Valeria invece ....
Valeria ha conosciuto ....
La sera ....
oppure ....

● ● ● ● ● ● ● ● ● ● ● ● ● ● ●

N. *Completate con i verbi indicati sotto:*

Benetton: il successo è un pull colorato

Luciano Benetton .... a lavorare da giovanissimo. Il padre, che .... la famiglia con il noleggio delle biciclette, ... per una malattia tropicale alla fine della guerra. .... il 1945. La famiglia Benetton .... un momentaccio, ma qualche anno più tardi, di fronte alla sorella che .... a maglia, Luciano .... l'idea: «Tu fai i maglioni ed io li vendo!», e le .... una macchina per maglieria.
Oggi la famiglia Benetton .... famosa in tutto il mondo; accanto a Luciano .... sempre e ancora i fratelli. Il New York Times ha definito i Benetton «i quattro fratelli arcobaleno» e «l'ultimo miracolo del Bel Paese».

(manteneva, è, ha cominciato, ha passato, era, lavorava, ha comprato, è morto, ha avuto, ci sono)

Confrontiamo:

Pubblicità

Oggi... ***... Ieri***

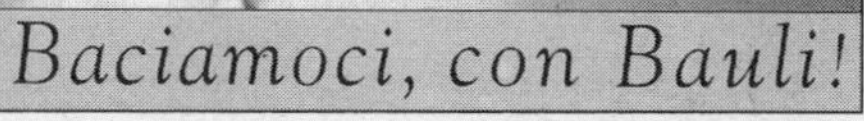

A. *Rispondete secondo il modello:*

> Prendi un caffè?
> Sì, lo prendo volentieri.

1. Prendi un bicchiere di vino?
....
2. Prendi una pasta?
....
3. Prendi un cioccolatino?
....
4. Prendi una birra?
....
5. Prendi un gelato?
....
6. Prendi un biscotto?
....
7. Prendi un aperitivo?
....
8. Prendi una bibita fresca?
....
9. Prendi un succo di frutta?
....
10. Prendi una caramella?
....
11. Prendi una spremuta?
....
12. Prendi un cognac?
....

B. *Rispondete secondo il modello:*

> Da quanto tempo frequenti questo corso? (un mese)
> Lo frequento da un mese.

1. Da quanto tempo conosci Ernesto? (un anno)
....
2. Da quanto tempo studi il francese? (poco tempo)
....
3. Da quanto tempo aspetti le tue amiche? (dieci minuti)
....
4. Da quanto tempo conosci quei ragazzi? (una decina di giorni)
....
5. Da quanto tempo frequenti questa classe? (una settimana)
....
6. Da quanto tempo guardi la televisione? (mezz'ora)
....

C. *Rispondete secondo il modello:*

> A chi regali questa cravatta? (mio padre)
> La regalo a mio padre.

1. A chi regali questi fiori? (mia madre)
....
2. A chi dai questi soldi? (Giulio)
....
3. A chi scrivi questa cartolina? (la mia amica)
....
4. A chi spedisci questo pacco? (Fiorella)
....

5. A chi mandi queste rose? (la mia fidanzata)
....
6. A chi chiedi quest'informazione? (l'impiegato della banca)
....

D. *Rispondete alle domande:*

1. Signora, quanti figli ha?
.... uno.
.... tre.
.... nessuno.
2. Ivo, quanti amici hai in questa città?
.... uno.
.... parecchi.
.... pochi.
.... nessuno.
3. Ida, quante persone conosci a Perugia?
.... una.
.... alcune.
.... molte.
.... nessuna.
4. Signor Pini, quanti caffè beve al giorno?
.... uno.
.... quattro.
.... parecchi.
.... pochi.
.... nessuno.
5. Ada, quante telefonate fai il pomeriggio?
.... una soltanto.
.... tante.
.... moltissime.
.... un sacco.
.... nessuna.

E. *Rispondete secondo il modello:*

Vuoi il panettone? (una fetta)
Grazie, ne prendo volentieri una fetta.

1. Vuoi un po' di birra? (un bicchiere)
....
2. Vuoi un po' di torta? (una fetta)
....
3. Vuoi un po' di tè? (una tazza)
....
4. Vuoi un po' di brandy? (un bicchierino)
....
5. Vuoi un po' di caffè? (una tazzina)
....
6. Vuoi un po' di dolce? (un pezzetto)
....

F. *Completate con le indicazioni sotto:*

1. Quanto latte vuole? Ne voglio ....
2. Quanti biscotti vuole? Ne voglio ....
3. Quante rose vuole? Ne voglio ....
4. Quante patate vuole? Ne voglio ....
5. Quanto olio vuole? Ne voglio ....
6. Quanta stoffa vuole? Ne voglio ....

due metri	una busta	cinque chili
una dozzina	due scatole	una bottiglia

G. *Rispondete secondo il modello:*

Quando hai comprato quel tavolo? (ieri)
L'ho comprato ieri.

1. Quando hai comprato quello specchio? (pochi giorni fa)
....
2. Quando hai comprato quella lampada? (l'anno scorso)
....
3. Quando hai comprato quelle sedie? (qualche settimana fa)
....
4. Quando hai comprato quei quadri? (alcuni mesi fa)
....
5. Quando hai comprato quel tappeto? (ieri)
....
6. Quando hai comprato quei vasi? (qualche anno fa)
....

H. *Rispondete secondo il modello:*

Dove avete comprato le sigarette? (dal tabaccaio)
Le abbiamo comprate dal tabaccaio.

1. Dove avete comprato le penne? (in cartoleria)
....
2. Dove avete comprato la carne? (dal macellaio)
....
3. Dove avete comprato la frutta? (dal fruttivendolo)
....
4. Dove avete comprato i panini? (dal fornaio)
....
5. Dove avete comprato i fiori? (dal fioraio)
....
6. Dove avete comprato il giornale? (dal giornalaio)
....
7. Dove avete comprato le medicine? (in farmacia)
....
8. Dove avete comprato il libro? (in libreria)
....
9. Dove avete comprato il dolce? (al bar)
....
10. Dove avete comprato la valigia? (ai grandi magazzini)
....

I. *Rispondete alle domande secondo il modello:*

Quanti studenti ci sono nell'aula? (molti)
Ce ne sono molti.

1. Quante studentesse ci sono nell'aula? (poche)
....
2. Quanti stranieri ci sono nell'aula? (moltissimi)
....

3. Quanti ragazzi cinesi ci sono nell'aula? (uno)
....
4. Quante ragazze francesi ci sono nell'aula? (una)
....
5. Quanti tedeschi ci sono nell'aula? (ventidue)
....
6. Quanti giapponesi ci sono nell'aula? (pochi)
....

L. *Completate secondo il modello:*

> Bello questo maglione! Quanto l'hai pagato?

1. Bella questa camicia! ....
2. Belli questi guanti! ....
3. Bello questo impermeabile! ....
4. Bella questa cintura! ....
5. Belle queste calze! ....
6. Belli questi pantaloni! ....

M. *Rispondete secondo il modello:*

> Chi ha preso la macchina? (Mario)
> L'ha presa Mario.

1. Chi ha preso i soldi? (noi)
....
2. Chi ha mangiato la torta? (i bambini)
....
3. Chi ha comprato il giornale? (io)
....
4. Chi ha preso la chiave di casa? (Lucia)
....
5. Chi ha mangiato le caramelle? (le mie amiche)
....
6. Chi ha rotto il vetro? (Sandro)
....

N. *Rispondete alle domande:*

1. Chi ha scritto *I Promessi Sposi*?
.... Alessandro Manzoni.
2. Chi ha scritto *La Divina Commedia*?
.... Dante Alighieri.
3. Chi ha scritto *Il nome della rosa*?
.... Umberto Eco.
4. Chi ha inventato la radio?
.... Guglielmo Marconi.
5. Chi ha inventato la pila?
.... Alessandro Volta.
6. Chi ha musicato *La traviata*?
.... Giuseppe Verdi.
7. Chi ha musicato *La Bohème*?
.... Giacomo Puccini.
8. Chi ha musicato *Il barbiere di Siviglia*?
.... Gioacchino Rossini.
9. Chi ha dipinto *La Gioconda*?
.... Leonardo da Vinci.
10. Chi ha scolpito il *David*?
.... Donatello.

O. *Rispondete secondo il modello:*

> Quante sigarette hai fumato? (molte)
> Ne ho fumate molte.

1. Quanti amici hai invitato? (pochi)

....

2. Quante città italiane hai visitato? (tre)

....

3. Quanti caffè hai preso? (nessuno)

....

4. Quante ragazze hai conosciuto alla festa? (molte)

....

5. Quante lingue hai studiato a scuola? (due)

....

6. Quanti regali hai ricevuto per il tuo compleanno? (otto)

....

7. Quante cartoline hai scritto? (una)

....

8. Quanti cioccolatini hai mangiato? (moltissimi)

....

9. Quanto vino hai bevuto? (un bicchiere)

....

10. Quanta torta hai mangiato? (una fetta)

....

11. Quante calze hai comprato? (due paia)

....

12. Quanto zucchero hai comprato? (un chilo)

....

P. *Completate con i pronomi:*

1. Alberto, ... aspetto davanti al cinema alle nove.
2. Quando Giorgio parla italiano, ... capisco perfettamente e anche lui.......... capisce senza problemi.
3. Signora, ... prego di ascoltar.......... con attenzione.
4. Marta è in ritardo: mio padre .... accompagnerà all'aeroporto in macchina.
5. I bambini tornano fra poco: dobbiamo aspettar.......... prima di uscire.
6. Signore, ... lascio davanti all'Università, se per Lei va bene.
7. Le mie sorelle arriveranno alla stazione a mezzanotte: devo andar.......... a prendere.
8. Rosa, ... aiuterò domani a fare l'esercizio.
9. Professore, ... ringraziamo molto: Lei è stato molto gentile ad aiutar..........
10. Professore, c'è una signora che .... aspetta da più di un'ora.
11. Ecco Lucio ed Enrico: voglio invitar.......... a cena.
12. Marina ha la tosse: dobbiamo portar.......... dal dottore!

Q. *Completate con i pronomi:*

1. Signorina, ... prego di salutare i Suoi genitori quando .... vedrà.
2. Se non .... disturbo, vengo con te.
3. Gianni, sei libero stasera? Vorrei invitar.......... a cena.

4. Ieri sera Francesco è venuto a casa mia per ringraziar.......... del regalo.
5. Jenny è venuta da noi e .... ha aiutato a fare gli esercizi di inglese.
6. Adriana, quando Gloria .... ha visto, ... ha salutato?
7. Ragazzi, la vostra vicina .... ha ringraziato del bel regalo?
8. Se non siete impegnati, ... aspetto domani sera per cena.
9. Ciao, Marta, buon viaggio! Spero di riveder.......... presto.
10. Dopo il lavoro, mio marito è passato a prender.......... a casa di mia madre.
11. Professore, perché non viene a trovar.......... nel nostro paese?
12. Armando, ... prego di dare questo biglietto a Maria quando .... vedrai.

R. *Completate con le preposizioni:*

1. Quando esco .... Università, vado .... centro .... fare la spesa.
2. Marta ha comprato un vestito .... seta .... ultima moda.
3. .... la notte .... Capodanno comprerò un paio .... scarpe .... pelle .... il tacco altissimo.
4. Vorrei un etto .... prosciutto cotto.
5. Ho comprato due yogurt .... frutta .... me e uno naturale .... te.
6. Ho regalato .... Maria una sciarpa .... lana.
7. Ruggero ha comprato due pacchetti .... sigarette .... tabaccaio.
8. Abbiamo accompagnato i nostri amici .... stazione.
9. .... casa ho un sacco .... cravatte .... questo tipo.
10. Chi ha parcheggiato la macchina davanti .... casa mia?
11. Siamo stati .... Sardegna .... un gruppo .... amici.
12. Ho comprato questi animaletti .... vetro .... Venezia .... 1989.

Il vostro compagno fa il commesso in vari negozi. Andate a comprare i regali di Natale e costruite i dialoghi. Poi «il commesso» riferisce alla classe:

– che cosa avete comprato
– quanto avete speso

È tutto bianco con il berretto rosso l'orsacchiotto di peluche Teddy Christmas. L. 30.000 da Coin.

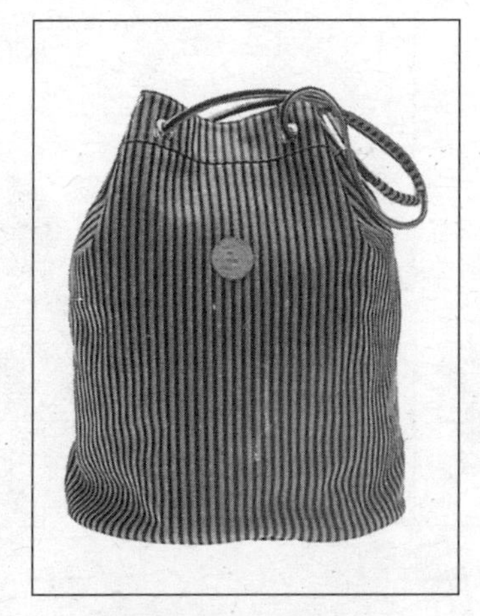

Praticissima, la sacca in pelle scamosciata a righe di Fendi. L. 298.000 circa.

I telefoni Swatch... per comunicazioni antinoia. Da L. 70.000.

Al puntualissimo, che vuole spaccare... il secondo, un cronografo. Con ampia scelta di quadranti e di funzioni. Di Bauchat. L. 350.000 circa.

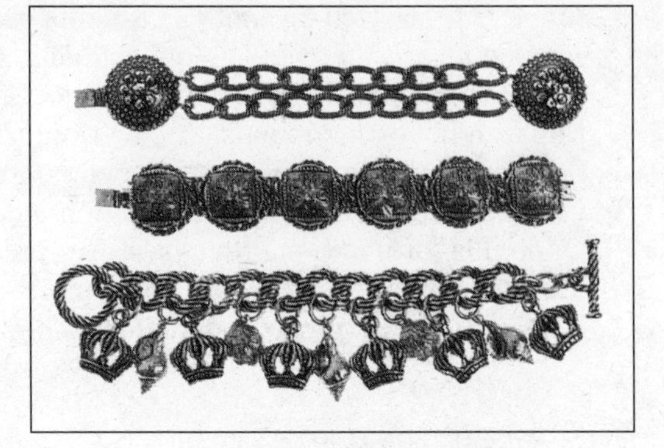

Ultimissima moda: i bracciali dorati con ciondoli. Di Marina Fossati. L. 120.000 circa l'uno.

Dorate e scintillanti come il giorno di Natale, le posate di Souvenir. L. 13.000 la forchetta, L. 23.000 il coltello e L. 12.200 il cucchiaio.

Classicissimi da regalare ai più piccini, gli allegri stivaletti in gomma rossa per i giorni di pioggia. Da Moroni Gomma, a L. 30.000.

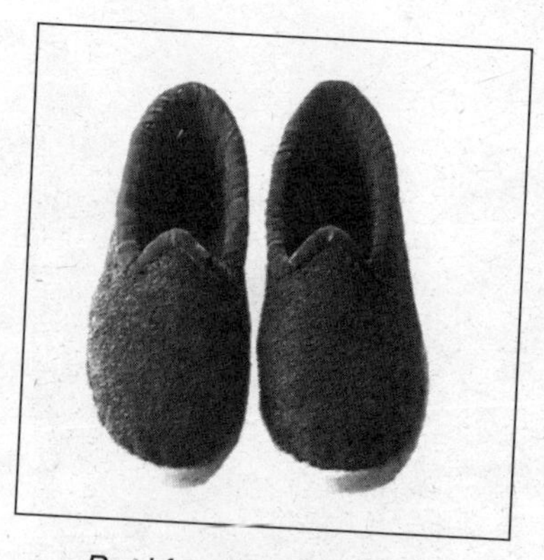

Per i freddolosi, le calde pantofole in lana cotta, con bordo in velluto e suola in feltro. Da Becassine a partire da L. 35.000.

Immaginate i dialoghi:

In giro per i negozi

S. *Completate con i pronomi:*

Amelia e Maria

Amelia è una vecchietta che abita di fronte a casa mia: .... vedo sempre dalla finestra della mia camera mentre lavora a maglia o parla con il suo cane. Ciro, questo è il nome del cane, è per lei una vera compagnia e lei .... ama moltissimo e .... cura come un bambino.
Amelia passa il suo tempo a guardare dalla finestra: quando .... vede, ... chiama e .... invita ad andare a trovar............ . Io, se ho tempo, ci vado volentieri: .... ascolto quando mi racconta della sua giornata, ... aiuto ad annaffiare le rose sul balcone: .... ha molte, ogni vaso di un colore diverso; .... ha una gialla che è una meraviglia! Qualche volta .... accompagno in macchina ai grandi magazzini del centro per fare la spesa. Quando .... riaccompagno a casa, vuole assolutamente ringraziar............ con qualcosa di speciale: i biscotti con la marmellata (............ fa ancora da sola) o la torta di mele che è la sua specialità; io naturalmente, anche se non ho fame, ... prendo sempre un pezzetto per accontentar............ .

● ● ● ● ● ● ● ● ● ● ● ● ● ● ●

Ascoltate il testo e completate lo schema:

	dove?	che cosa?
Claudio	**va**	**e compra** ....
Luisa	**va**	**e compra** ....

Scrivete una breve lettera ad un amico nella quale raccontate un vostro viaggio. Indicate:

- dove siete stati
- quanto tempo ci siete stati e con chi
- se avete comprato qualche souvenir
- quando e dove l'avete comprato

Caro /a ....,
sono appena tornato/a da ....
....
....
....
....
....

Hai preso impegni per la prossima estate?

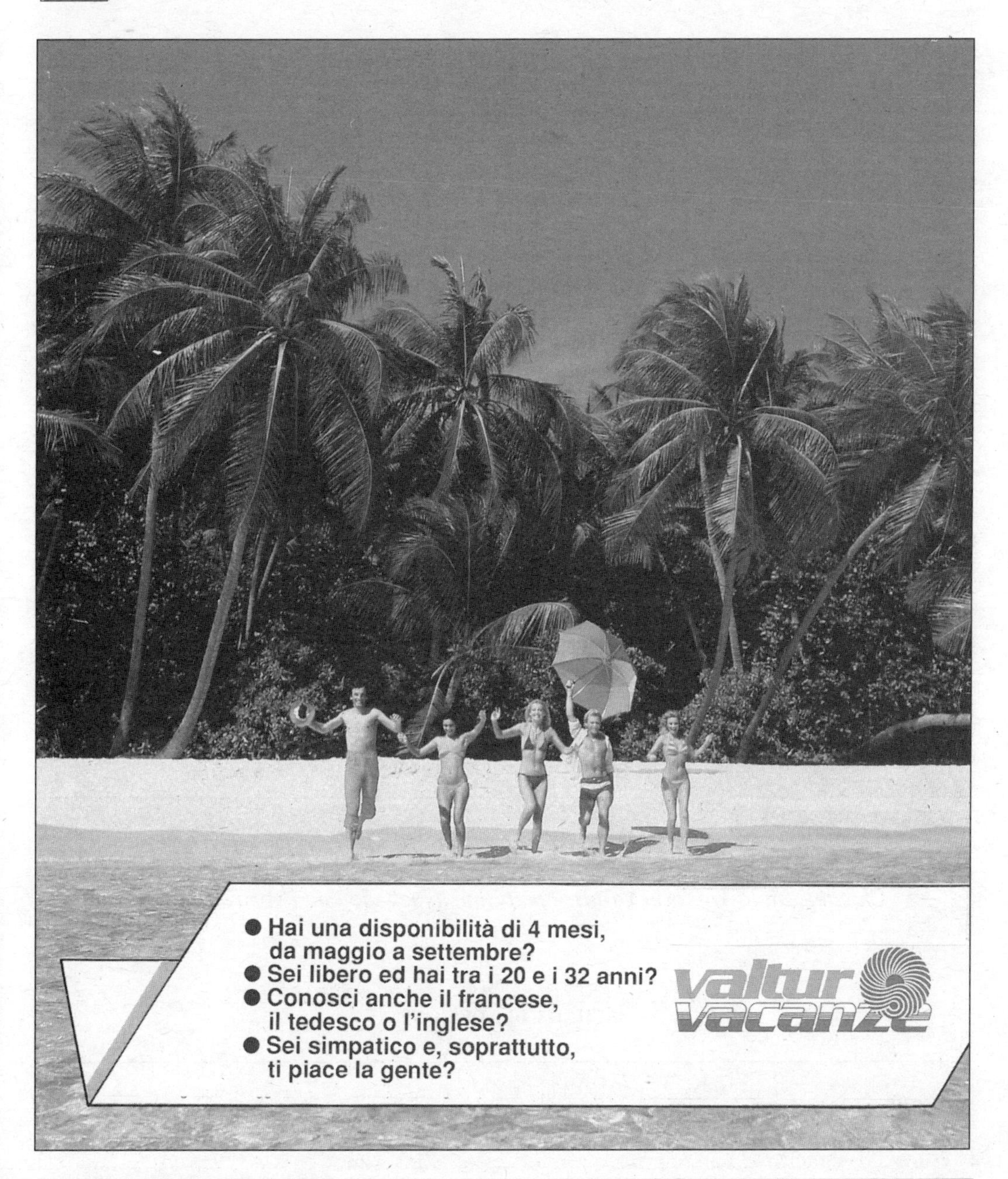

Se hai risposto no alla prima domanda (quella del titolo), e sì a tutte le altre, noi della Valtur ti chiediamo di far parte della nostra équipe.

Per informazioni e per le schede di adesione rivolgiti ai seguenti numeri: 06/4706.299 (209 - 289).

Completate:

Chi vuole entrare a far parte dell'équipe Valtur deve:

1. ....
2. ....
3. ....
4. ....
5. ....

Ascoltate il testo e compilate la scheda:

Un ragazzo telefona alla Valtur: cerca lavoro come animatore in un villaggio turistico. La segretaria chiede alcune informazioni...

SCHEDA DI ADESIONE

Nome ....
Cognome ....
Luogo di nascita ....
Data di nascita ....
Precedenti esperienze di lavoro ....
....
Titolo di studio ....

Chiedete un lavoro alla Valtur: compilate la scheda con i vostri dati personali:

SCHEDA DI ADESIONE

Nome ....
Cognome ....
Luogo di nascita ....
Data di nascita ....
Precedenti esperienze di lavoro ....
....
Titolo di studio ....

Scrivete una lettera alla Valtur per chiedere lavoro come animatore:

VALTUR S.p.A.
Ufficio Planning Personale
Via Milano, 42
00184 Roma

Spett.le Valtur

Mi chiamo ....
....
....
....
....
....
....

Distinti saluti

....

Unità 10

A. *Rispondete secondo il modello:*

> Ti piace Firenze?
> Sì, mi piace molto.

1. Ti piace la cucina italiana?

....

2. Vi piace questa città?

....

3. A Mario piace la montagna?

....

4. A Claudia piace andare in piscina?

....

5. Ti piace giocare a scacchi?

....

6. Ai tuoi amici piace il clima di questa città?

....

7. Ti piace la mia nuova macchina?

....

8. A tuo padre piace andare al cinema?

....

9. Vi piace la pizza margherita?

....

10. A Luigi piace passare il fine-settimana fuori città?

....

11. Ai tuoi figli piace fare dello sport?

....

12. A Teresa piace andare a teatro?

....

B. *Rispondete secondo il modello:*

> Ti piacciono le canzoni di Sting?
> Sì, mi piacciono molto.

1. Ti piacciono le tagliatelle ai funghi?

....

2. A Mario piacciono le poesie di Sandro Penna?

....

3. A Claudia piacciono i cantautori italiani?

....

4. Ti piacciono le mie scarpe nuove?

....

5. Vi piacciono i film gialli?

....

6. Ai bambini piacciono i «Baci» Perugina?

....

7. A tuo padre piacciono i tuoi amici?

....

8. Vi piacciono i romanzi rosa?

....

9. A Mauro e Clara piacciono le opere d'arte moderna?

....

10. Ti piacciono le novelle del Boccaccio?

....

11. A Carlo piacciono «I Promessi Sposi»?

....

12. Ti piacciono le canzoni napoletane?

....

C. *Rispondete secondo il modello:*

A me piace molto l'arte moderna, e a te?
Anche a me.

1. A me piace molto la musica classica, e a voi?

....

2. A Claudio piace molto viaggiare, e a sua moglie?

....

3. A noi piace molto questa città, e a Stefano?

....

4. A voi piace molto visitare i musei, e ai ragazzi?

....

5. A me piace molto leggere, e a te?

....

6. A Lidia piace molto il suo lavoro, e a Valeria?

....

D. *Rispondete secondo il modello:*

A me non piacciono i libri gialli, e a te?
Neanche a me.

1. A me non piacciono le canzoni napoletane, e a voi?

....

2. A Pietro non piacciono i giornali sportivi, e a Claudio?

....

3. A Tina non piacciono gli spaghetti alla carbonara, e a te?

....

4. Ai miei figli non piacciono i cartoni animati, e ai tuoi?

....

5. A noi non piacciono i vestiti eleganti, e a voi?

....

6. A me non piacciono gli amici di Mara, e a te?

....

E. *Rispondete secondo il modello:*

> Quando telefoni a Mario?
> Gli telefono stasera.

1. Quando telefoni a Carla?
.... domani.
2. Quando mi telefoni?
.... domattina.
3. Quando telefoni ai tuoi amici?
.... fra qualche giorno.
4. Quando telefoni al professore?
.... domani.
5. Quando ci telefoni?
.... domani sera.
6. Quando telefoni al dottore?
.... subito.

F. *Rispondete secondo il modello:*

> Che cosa regali a tua madre per il suo compleanno? (un profumo)
> Le regalo un profumo.

1. Che cosa scrivi a Marco? (una cartolina)
....
2. Che cosa regalate ai bambini? (dei libri di favole)
....
3. Che cosa presti a Chiara? (dei soldi)
....
4. Che cosa offrite ai vostri ospiti? (una birra fresca)
....
5. Che cosa fai vedere a Luciana? (le foto delle vacanze)
....
6. Che cosa mandi a Claudia? (un mazzo di fiori)
....
7. Che cosa chiedi al signor Ghini? (un favore)
....
8. Che cosa dai a Giovanni? (le chiavi della macchina)
....
9. Che cosa spedisci a Gloria? (un telegramma)
....
10. Che cosa comprate a Giulio? (un portafoglio di pelle)
....
11. Che cosa dai ai tuoi amici? (il mio indirizzo)
....
12. Che cosa presti a Lino e Costanza? (la mia macchina)
....

G. *Rispondete secondo il modello:*

> Hai visto l'ultimo film di Fellini?
> Sì, mi è piaciuto molto.

1. Hai visto l'ultimo spettacolo di Dario Fo?
....
2. Hai visto la mostra su Tiziano?
....

3. Hai letto l'ultimo libro di Andrea De Carlo?

....

4. Hai sentito le canzoni dell'ultimo LP di Franco Battiato?

....

5. Hai visto l'ultimo numero di «Meridiani» su Roma?

....

6. Hai letto le poesie di Mario Luzi?

....

H. *Trasformate secondo il modello:*

> Carlo, puoi chiudere la porta?
> Carlo, ti dispiace chiudere la porta?

1. Marta, puoi rispondere al telefono?

....

2. Professore, può ripetere la frase?

....

3. Signora, può aspettare un momento?

....

4. Ragazzi, potete aiutarmi?

....

5. Lucia, puoi darmi una mano?

....

6. Leonardo, puoi accompagnarmi a casa?

....

I. *Completate con i pronomi:*

1. Ho visto Piero e .... ho detto di venirmi a trovare.
2. Elena è molto stanca, ... ho consigliato di riposarsi.
3. Se vieni a casa mia, ... faccio un caffè e .... offro una fetta di dolce.
4. Giorgio, tuo padre ti ha chiamato! Devi dar............ una mano a pulire il giardino.
5. Signora, il direttore adesso non c'è, ... consiglio di tornare più tardi.
6. Al bar ho incontrato Mauro e .... ha offerto un caffè.
7. Mara, ... restituisco i libri che .... hai prestato. Grazie, ... hai fatto un grande favore.
8. Oggi è il compleanno di Matteo: .... ho preparato una cena speciale e .... ho comprato un piccolo regalo.
9. Vado da Pina, devo restituir............ la macchina che .... ha prestato stamattina.
10. Professore, posso offrir............ qualcosa al bar?
11. Quando lavoravo a Milano, telefonavo spesso a Tina: .... telefonavo quasi ogni settimana, ... parlavo dei miei problemi e .... chiedevo notizie del suo lavoro.
12. Avete una bella casa: devo proprio far............ i miei complimenti.

L. *Completate con le preposizioni:*

1. Giorgio voleva andare .... Galleria .... Uffizi, ma non ha avuto tempo.
2. Stamattina Giovanni è andato .... museo .... Pietro e .... sua sorella.
3. .... Ruggero interessa molto l'arte .... '400.
4. .... Galleria .... Uffizi ci sono dipinti .... Botticelli, ... Leonardo .... Vinci e .... Tiziano.
5. Patrizia ha una passione .... l'arte moderna.
6. Alberto manderà .... suoi genitori una cartolina .... Firenze.

7. Ieri sera siamo andati .... cinema e abbiamo visto un film .... Fellini.
8. Sono un appassionato .... cinema.
9. .... mio fratello piace passare il fine-settimana .... campagna.
10. Facciamo un viaggio .... Italia .... visitare le città etrusche.
11. Il primo spettacolo comincia .... 15,30 .... punto.
12. Ho incontrato Lucio .... bar davanti .... Università.

M. *Collegate ogni domanda con la relativa risposta, secondo l'esempio:*

Che film danno al cinema «Lilli»?	No, non mi è piaciuto molto.
Come ti è sembrato?	Mi è piaciuta, ma è veramente triste.
Ti è piaciuto Mastroianni?	Mi sono piaciuti abbastanza.
Ti è piaciuta la storia?	Sì, mi sono piaciute.
Che ne pensi degli attori?	**Danno «Stanno tutti bene» di Giuseppe Tornatore. Io l'ho visto ieri.**
Ti sono piaciute le attrici?	Mi è sembrato un buon film.
Mi consigli di andarci?	Secondo me, ne vale la pena.

● ● ● ● ● ● ● ● ● ● ● ● ● ● ●

Tanti saluti e grazie dalla Russia

I miei amici italiani mi mandano alcune riviste del vostro paese, ma fra tutte ho preferito subito «Bell'Italia». Sono curiosa, mi piace leggere sui diversi paesi, conoscere gente nuova, i costumi e il modo di vivere di altri popoli; e sulle pagine della vostra stupenda rivista ho trovato tutto quello che mi interessa dell'Italia. Purtroppo non è possibile abbonarsi dalla Russia, e io ricevo solo qualche numero di «Bell'Italia», ma tutti gli incontri con la rivista per me sono una festa. Grazie a voi tutti che lavorate per «Bell'Italia», e un saluto amichevole.

Tatiana Kolpakova

(Da «Bell'Italia», n. 52, agosto 1990)

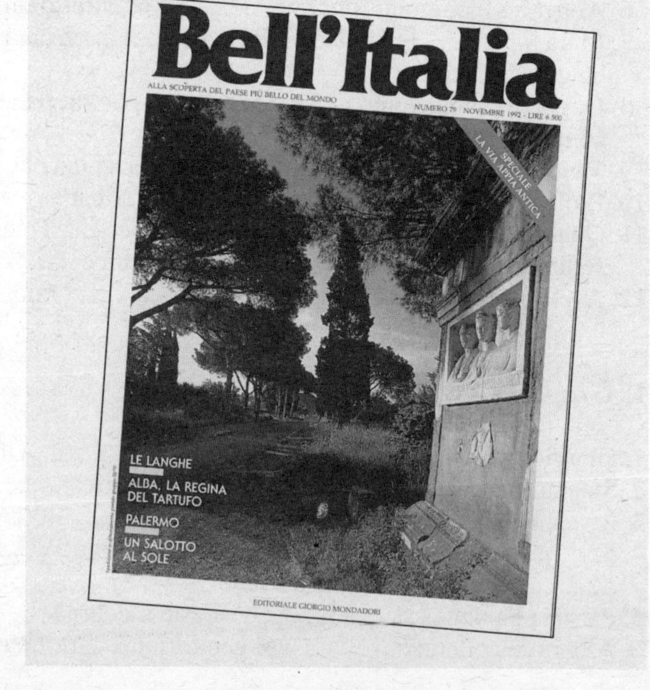

Rispondete alle domande:

1. Chi è Tatiana Kolpakova?
2. Di che nazionalità sono i suoi amici?
3. Che cosa fanno spesso i suoi amici?
4. Quale rivista ha preferito Tatiana?
5. Perché?
6. Quali sono gli interessi di Tatiana?
7. Perché non riceve tutti i numeri di «Bell'Italia»?
8. Perché ha scritto una lettera a «Bell'Italia»?

Il signor Girelli esce di casa, va all'edicola e compra il solito giornale. Ad un tratto si ricorda che deve fare una telefonata importante in banca: prende un gettone, si avvicina alla cabina telefonica, e, poiché è occupata da una ragazza, decide di aspettare qualche minuto.
Mentre aspetta, dà un'occhiata alle notizie più importanti del giorno. Dopo di lui arrivano altre persone e tutte si mettono in fila per telefonare. Mentre i minuti passano, la ragazza continua tranquillamente a chiacchierare e non si preoccupa della gente che aspetta.
Il signor Girelli ha fretta perché ha un appuntamento. Per non perdere troppo tempo, rinuncia alla sua telefonata.
Mentre va verso la fermata dell'autobus, vede un signore, un uomo elegante sulla quarantina, che sicuramente è più fortunato di lui: parla senza problemi dal suo telefono senza filo.

Volgete al passato:

Ieri il signor Girelli ....
....
....

L'infanzia di Annetta

Avevo meno di dieci anni. In quel periodo più che con i miei genitori stavo dalla mia nonna paterna.
Eravamo una famiglia unita: in quella casa si riunivano i fratelli e le sorelle di mio padre, con i loro figli. Io ero la nipote preferita, sia da mia nonna che dai miei zii. Tutti chiamavano la nonna «la nonna di Annetta». I miei zii si occupavano più di me che dei loro figli. Era un periodo davvero felice della mia vita: uscivo da scuola, andavo da mia nonna che abitava a pochi metri di distanza e lì restavo per tutto il pomeriggio e la sera; talvolta dormivo là.
Trascorrevo i pomeriggi in tutta serenità, giocando con i miei cugini e con i miei amici. Alcune volte andavamo da mia zia Vannina, che ci faceva giocare o ci raccontava storie di spiriti.

(Adatt. da Lara Cardella, *Volevo i pantaloni*, Mondadori 1989)

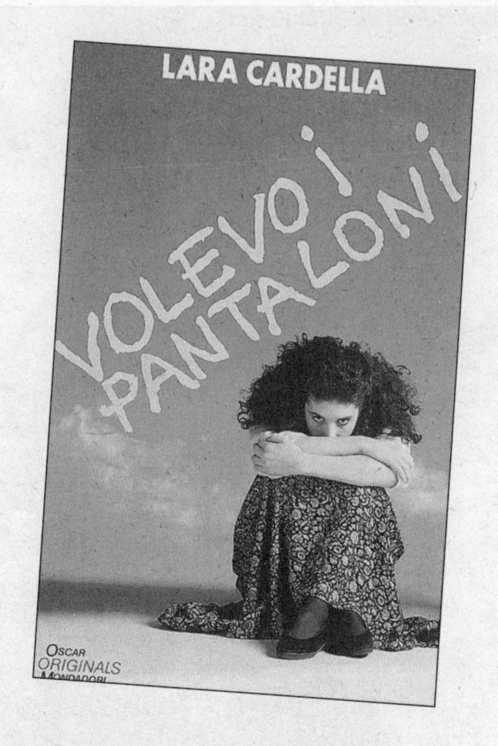

Sopra: il libro di Lara Cardella, «Volevo i pantaloni». Sotto: l'autrice del libro.

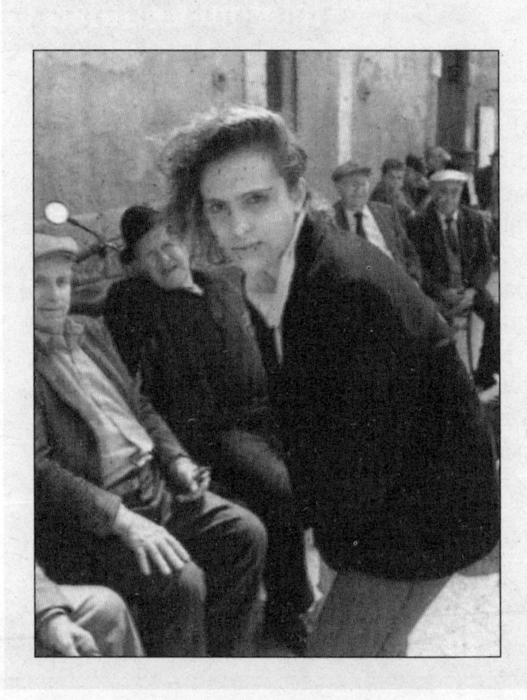

Rispondete alle domande:

1. Quanti anni aveva Annetta in quel periodo?
2. Dove stava?
3. Chi si riuniva in quella casa?
4. Perché tutti chiamavano la nonna «la nonna di Annetta»?
5. Che cosa facevano gli zii?
6. In quel periodo come trascorreva la giornata Annetta?
7. Che cosa succedeva qualche volta?

Utilizzando le risposte alle domande precedenti, completate il racconto:

Annetta, quando aveva dieci anni...........
....
....

Alcune tra le maggiori Aziende italiane aspettano il tuo curriculum.

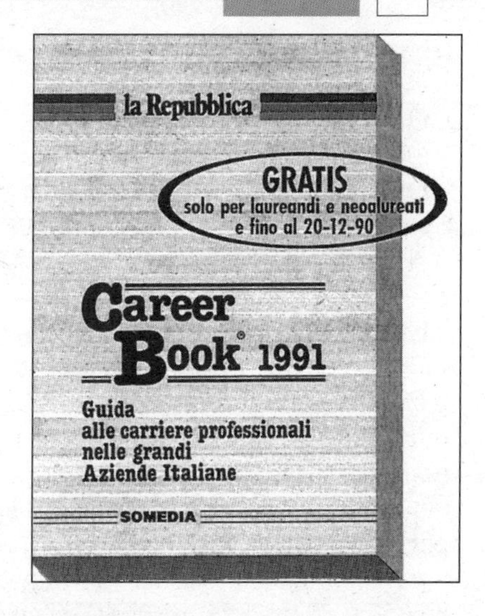

(da «L'Espresso», 9 dicembre 1990)

CURRICULUM VITAE	
Nome:	Paola Zini
Indirizzo:	Via Leopardi 30, 20123 Milano
Telefono:	02/8590939
Data di nascita:	20 ottobre 1968
Titoli di studio	
1984	Maturità artistica
1985/86	Anno integrativo pre-universitario
	Iscritta al terzo anno della Facoltà di Lingue dell'Università Statale di Milano
Lingue straniere	Inglese: ottima conoscenza (soggiorni prolungati in Inghilterra e in Canada dal 1982 al 1988)
	Francese scolastico
Esperienze professionali	
Dal 1984 al 1987	Interprete in esposizioni fieristiche di differenti città italiane
1988	Collaborazione a vari periodici
1989	Stage di 6 mesi presso l'agenzia di pubblicità Baleno
Esperienze all'estero	
sett. 1987/apr. 1988	Stage al Department of Sociology. Faculty of Arts University of Alberta. Edmonton, Alberta, Canada
Interessi personali	Arte e design, ecologia e sport (sci, equitazione, tennis)

Rispondete alle domande:

1. Quando è nata Paola Zini?
2. Qual è il suo indirizzo?
3. Qual è il suo numero di telefono?
4. Quando ha conseguito la maturità artistica?
5. A quale facoltà è iscritta?
6. Che lingue straniere conosce?
7. Che esperienze di lavoro ha fatto?
8. Che esperienze di lavoro ha fatto all'estero?
9. Quali sono i suoi interessi?

Rispondete alle domande:

1. E tu come ti chiami?
2. Quando sei nato/a?
3. Qual è il tuo indirizzo?
4. Qual è il tuo numero di telefono?
5. Che cosa studi?
6. Che lingue straniere conosci?
7. Che esperienze di lavoro hai fatto?
8. Che esperienze di lavoro hai fatto all'estero?
9. Quali sono i tuoi interessi?

Completate il vostro curriculum vitae:

CURRICULUM VITAE

Nome: ....
Indirizzo: ....
Telefono: ....
Data di nascita: ....

Titoli di studio

....
....
....

Lingue straniere

....
....

Esperienze professionali

....
....
....

Esperienze all'estero

....
....

Interessi personali ....

  *Ascoltate il testo e, quando è possibile, completate lo schema:*

Alfonso e Giovanna, due colleghi d'ufficio, parlano alla fine di una giornata di lavoro:

	piace	non piace
ad Alfonso		
a Giovanna		
al ragazzo di Giovanna		

 *Collegate ogni testo all'immagine relativa:*

Musei italiani

Ho passato un intero pomeriggio al museo; le opere da vedere sono tantissime, ci tornerò sicuramente un'altra volta. Mi ha colpito moltissimo la «Madonna del cardellino» di Raffaello nella sala 26.

....

Musei Vaticani, Roma.

1.

→

Siamo stati al museo sabato scorso. Abbiamo visitato con interesse tutte le sale, ci siamo fermati a lungo nella sala 10, ad ammirare la «Pietà» di Tiziano.

....

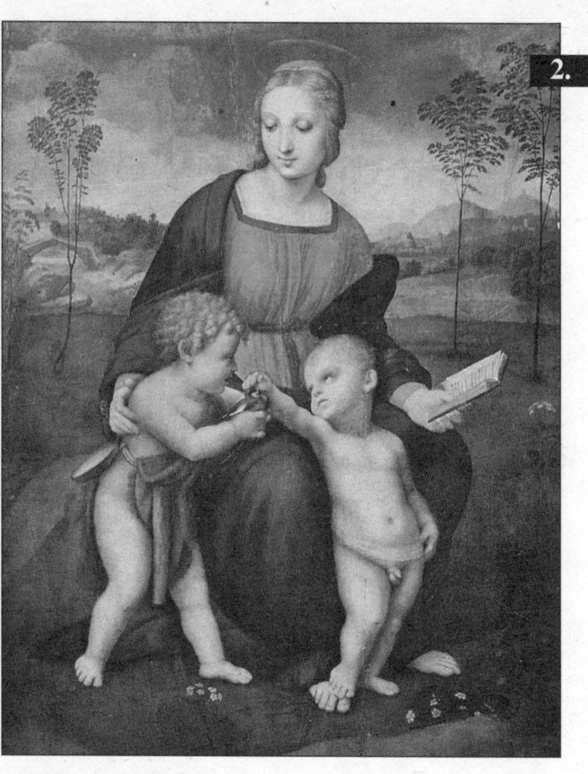

2.

Galleria degli Uffizi, Firenze. Sala 26.

3.

Gallerie dell'Accademia, Venezia. Sala 10.

Abbiamo finalmente visto i famosi «Bronzi di Riace». Si trovano al centro di una grande sala: tutti i visitatori rimanevano a lungo ad ammirare la bellezza dei due guerrieri greci.

....

4.

Museo Nazionale di Reggio Calabria.

Non si può visitare questo museo in una volta sola, né si deve vedere solamente la Cappella Sistina. Ci sono anche affreschi di Giotto, del Beato Angelico, del Perugino e di tanti altri pittori. Io ho guardato con molto interesse «La Deposizione» di Caravaggio.

....

L'Italia ospita l'80% dei monumenti architettonici e delle opere d'arte d'Europa, concentrati soprattutto a Firenze e in Toscana. I turisti sono ogni anno numerosissimi, nonostante la non perfetta organizzazione dei musei italiani, con il problema degli orari, la mancanza di personale, le chiusure più o meno temporanee di questo o quel museo.

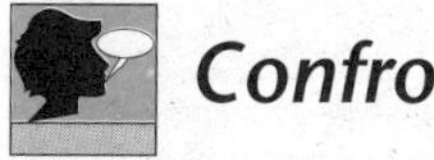

Confrontiamo...

Confrontate la situazione del patrimonio artistico italiano con quella del vostro paese.

test 2

Stanno tutti bene

drammatico

Titolo originale	**Stanno tutti bene**
Regia	**Giuseppe Tornatore**
Sceneggiatura	**Giuseppe Tornatore, Tonino Guerra, Massimo De Rita**
Fotografia	**Blasco Girato**
Musica	**Ennio Morricone**
Produzione	**Angelo Rizzoli**
Distribuzione	**Penta**

PERSONAGGI E INTERPRETI

Matteo Scuro	**Marcello Mastroianni**
Signora in treno	**Michèle Morgan**
Canio	**Marino Cenna**
Guglielmo	**Roberto Nobile**
Tosca	**Valeria Cavalli**
Norma	**Norma Martelli**
La madre di Matteo	**Antonella Attili**
Antonello	**Fabio Iellini**

Matteo Scuro, ex impiegato in pensione, vedovo, appassionato di musica lirica, decide di partire da un paese della Sicilia per fare una visita ai suoi cinque figli che vivono in differenti città italiane. Il suo desiderio è quello di vederli nuovamente riuniti. Con il suo viaggio, invece, scopre la vera vita delle persone che gli erano vicine e che credeva di conoscere.

La prima tappa del viaggio è Napoli, dove Matteo va a trovare il figlio Alvaro: bussa varie volte alla porta di casa, va a cercarlo all'Università, ma non riesce a trovarlo.

Riparte così per Roma per incontrare Canio. Canio non ha fatto una brillante carriera politica, è un semplice impiegato.

Sempre nella capitale vede Tosca, e insieme vanno a Firenze, dove lei vive e lavora: Tosca non è l'attrice teatrale che sognava di diventare, non ha sposato un uomo ricco, ma è una donna sola, con un figlio e con un lavoro incerto.

Matteo continua il suo viaggio per l'Italia e arriva a Milano, dove vive Guglielmo: anche lui non ha realizzato il sogno di diventare un grande musicista, ma suona la grancassa in una piccola orchestra.

Ultima tappa del viaggio è Torino: qui Matteo scopre che la figlia Norma non ha un matrimonio felice, non è la direttrice dell'ufficio vendite di una grande fabbrica, ma una semplice centralinista.

Alla fine del viaggio, Matteo ritorna in Sicilia e alla domanda del capostazione: «Come stanno tutti?» con un sorriso amaro risponde: «Stanno tutti bene».

Giuseppe Tornatore, il regista del film drammatico «Stanno tutti bene».

A. *Indicate la frase corretta relativa al testo letto:*

1. Matteo Scuro
a) lavorava in una pensione
b) lavorava in un teatro lirico
c) faceva l'impiegato
d) non ha mai lavorato

2. I figli di Matteo Scuro vivono
a) in Sicilia
b) all'estero
c) tutti nella stessa città
d) in varie città italiane

3. Matteo Scuro decide di partire perché
a) vuole sapere dove vivono i suoi figli
b) vuole riunire insieme i suoi figli
c) vuole conoscere i figli dei vicini
d) vuole invitare i figli a tornare in Sicilia

4. Matteo
a) trova Alvaro in casa
b) trova Alvaro all'Università
c) non trova Alvaro
d) trova Alvaro alla stazione

5. Canio
a) non ha fatto carriera
b) è partito da Roma
c) è diventato un brillante uomo politico
d) è direttore di una banca

6. Tosca sognava di
a) avere un figlio
b) lavorare in teatro
c) sposare un attore
d) vivere da sola

7. Guglielmo
a) è un grande violinista
b) è un musicista
c) suona la tromba in un'orchestra
d) è un cantante

8. Norma
a) non si è sposata
b) ha lasciato il marito
c) non va d'accordo con il marito
d) è soddisfatta del suo matrimonio

9. Quando Matteo torna in Sicilia
a) non dice a nessuno
b) dice solo alla moglie
c) dice a tutti
d) dice solo al capostazione
che ha scoperto la vera vita dei suoi figli

B. *Completate, quando è possibile, la scheda:*

	Nome dei figli di Matteo	**Attuale lavoro**	**Lavoro desiderato**
Napoli			
Roma			
Firenze			
Milano			
Torino			

C. *Completate la descrizione che Tosca fa della sua famiglia:*

Mio padre si chiama ....;
È ....
Mia madre ....
Ho ....
....
....
....
....

D. *Completate il dialogo con le battute mancanti:*

(Matteo Scuro incontra il figlio Canio, felice per la visita del padre)

Matteo: Canio!
Canio: Papà, ma sei tu? ....!
Matteo: Sì, sono io... avevo proprio voglia di rivederti.
Canio: ....?
Matteo: Mezz'ora fa.
Canio: ....?
Matteo: No, c'era sciopero..: un camionista mi ha dato un passaggio fino a Roma.
Canio: ....?
Matteo: Sì, grazie, questa valigia è molto pesante!

E. *Completate con i verbi indicati fra parentesi:*

(Matteo parla con la figlia Tosca)

Quando (voi-essere) .... bambini, (noi-andare) .... ogni domenica alla spiaggia. Mentre voi (giocare) ...., tua madre ed io (riposarsi) .... sotto l'ombrellone o (prendere) .... il sole. Ti ricordi quella volta quando non riuscivamo a trovare Alvaro? Lo (noi-aspettare) .... per tutto il pomeriggio: (noi-andare) .... a cercarlo al porto, (noi-chiedere) .... notizie ai suoi amici, ma... niente. Finalmente lo (noi-trovare) ....: (lui-dormire) .... profondamente sotto un albero.

F. *Completate con i pronomi:*

Matteo:

1. Ho cercato spesso Alvaro: .... ho telefonato varie volte, ... ho chiamat..... dalla stazione e .... ho lasciato un messaggio.
2. Tosca è venuta a prender............. a Roma. Quando io .... ho vist......, ... ho abbracciat....... e .... ho dato un bacio.

G. *Completate con le preposizioni:*

1. Tosca abita .... Firenze .... un appartamento bellissimo vicino .... centro .... città.
2. Matteo è partito .... Roma .... il treno. Non ha preso l'aereo perché ha paura .... volare.

Immaginate di esprimere il giudizio di Matteo Scuro su:
– la fontana di Trevi – il Teatro alla Scala – i Musei Vaticani.

Descrivete la foto:

Ascoltate il testo e indicate con un «sì» o un «no» che cosa è piaciuto del film ai due ragazzi:

	Attore protagonista	**Altri attori**	**Regista**	**Storia**	**Foto-grafia**	**Musica**
Sandra						
Diego						

A. *Completate secondo il modello:*

> Ho fame (mangiare un panino)
> Mangerei volentieri un panino.

1. Ho sete (bere una birra)
....
2. Ho sonno (dormire ancora un po')
....
3. Sono stanco (fare un pisolino)
....
4. Sto male (restare a casa)
....
5. È una bella giornata (fare una passeggiata)
....
6. È freddo (rimanere a letto)
....
7. Ho voglia di mangiare qualcosa di speciale (andare al ristorante)
....
8. Stasera c'è una festa (comprare un vestito nuovo)
....
9. Ho studiato troppo (guardare un po' di TV)
....
10. Ho bisogno di rilassarmi (ascoltare un po' di musica)
....
11. Ho voglia di parlare con qualcuno (fare quattro chiacchiere con Anna)
....
12. È molto caldo (andare al mare)
....

B. *Trasformate secondo il modello:*

> Ho voglia di guardare la TV.
> Guarderei volentieri la TV.

1. Ho voglia di mangiare un gelato.
....
2. Carlo ha voglia di fare un viaggio.
....
3. Giorgia ha voglia di uscire un po'.
....
4. Abbiamo voglia di rimanere a casa.
....
5. Antonio e Luciana hanno voglia di giocare a tennis.
....

6. Ho voglia di comprare l'ultima cassetta di Lucio Dalla.
....
7. Tu hai voglia di dormire fino a tardi?
.............................Dormiresti...
8. I miei genitori hanno voglia di abitare in campagna.
.............................Abiterebbero...
9. Franco ha voglia di cambiare lavoro.
.............................Cambierebbe..
10. Abbiamo voglia di prendere qualche giorno di ferie.
.............................Prenderemmo..
11. Ho voglia di scrivere a Stefano.
....
12. Voi avete voglia di andare a cena fuori?
.............................andreste andreste..

C. *Completate secondo il modello:*

> Mi piacerebbe molto uscire.
> Uscirei, ma non ho tempo.

1. Mi piacerebbe molto rimanere qui.
.............................Rimaneresti.............................., ma Paolo mi aspetta fra 5 minuti.
2. Mi piacerebbe molto venire in vacanza con voi.
.............................Veniesti.............................., ma in questo periodo non ho le ferie.
3. A Claudia piacerebbe molto fermarsi qui per qualche giorno.
.............................si fermerebbe.............................., ma domani deve tornare in ufficio.
4. A Giovanni piacerebbe molto comprare un'auto fuoristrada. Jeep
.............................Comprebbe.............................., ma costa troppo.
5. Ci piacerebbe molto pranzare con voi.
.............................ci pranzereste.............................., ma oggi abbiamo fretta.
6. Mi piacerebbe molto dormire fino alle 10.
.............................dormiresti.............................., ma non posso arrivare tardi al lavoro.

D. *Rispondete secondo il modello:*

> Perché non compri quella macchina?
> La comprerei, ma costa troppo.

1. Perché non leggi il giornale?
...., ma non ho tempo.
2. Perché non mangi una fetta di dolce?
...., ma devo stare a dieta.
3. Perché non accendi il termosifone?
...., ma non funziona.
4. Perché non inviti i tuoi amici?
...., ma hanno già un impegno.
5. Perché non aiuti tua sorella?
...., ma adesso sono troppo stanco.
6. Perché non cambi lavoro?
...., ma non è facile trovarne un altro.

E. *Esprimete il desiderio di:*

1. fare un viaggio in India .... Se conoscessi la lingua
2. vivere in un'isola tropicale ....
3. diventare un grande attore ....
4. comprare una casa al mare ....
5. lavorare in un'agenzia di viaggi ....
6. conoscere gente nuova ....

F. *Completate:*

1. ...., ma ho troppo lavoro da fare.
2. ...., ma sono stanchi.
3. ...., ma non ha la macchina.
4. ...., ma deve accompagnare Luisa alla stazione.
5. ...., ma non abbiamo fame.
6. ...., ma fa troppo freddo.

G. *Completate:*

1. Verrei volentieri a trovarti, ma ....
2. Aldo partirebbe subito, ma ....
3. Resteremmo ancora, ma ....
4. Pagherei io stasera, ma ....
5. Andrei al concerto con Marco, ma ....
6. Cambierebbero casa, ma ....

H. *Trasformate secondo il modello:*

> Comprerei volentieri quel vestito, ma non ho i soldi.
> Avrei comprato volentieri quel vestito, ma non avevo i soldi.

1. Mangerei volentieri con te, ma non ho fame.
....
2. Pietro berrebbe volentieri qualcosa con noi, ma ha fretta.
....
3. Usciremmo volentieri con voi, ma dobbiamo aspettare una telefonata.
....
4. Scriverei volentieri a Francesco, ma non ho il suo indirizzo.
....
5. Rivedrei volentieri quel film, ma finisce troppo tardi.
....
6. Marta andrebbe volentieri al cinema, ma è stanca.
....
7. Marco inviterebbe volentieri Marina a cena, ma lei non è in casa.
....
8. I ragazzi andrebbero volentieri al mare, ma non hanno abbastanza soldi.
....

9. Partiremmo volentieri con Giorgio, ma non abbiamo il biglietto.
....
10. Gino e Ivo tornerebbero volentieri a casa, ma c'è lo sciopero degli autobus.
....
11. Verrei volentieri alla festa, ma non mi sento bene.
....
12. Resterei volentieri a casa vostra, ma ho un appuntamento dal dentista.
....

I. *Trasformate secondo il modello:*

> Mi aiuti a prendere le valigie?
> Mi aiuteresti a prendere le valigie?

1. Mi accompagni a casa?
....
2. Mi presti la macchina?
....
3. Mi passi il sale?
....
4. Mi offri una sigaretta?
....
5. Mi dai una mano?
....
6. Mi scrivi a macchina questa lettera?
....

L. *Trasformate secondo il modello:*

> Mi fa un favore?
> Mi farebbe un favore?

1. Mi dà il permesso di uscire?
....
2. Mi presta una penna?
....
3. Mi dà un passaggio al centro?
....
4. Mi dice a che ora parte il treno?
....
5. Mi aspetta un momento?
....
6. Mi porta il conto?
....

M. *Fate delle domande secondo il modello:*

> – Aspettare un momento
> Signor Pini, potrebbe aspettare un momento?
> Signor Pini, aspetterebbe un momento?
> Signor Pini, Le dispiacerebbe aspettare un momento?

1. Parlare più forte
....
....
....
2. Tornare domani
....
....
....
3. Chiudere la porta
....
....
....
4. Rispondere al telefono
....
....
....
5. Finire il lavoro prima delle undici
....
....
....
6. Firmare questo documento
....
....
....

N. *Fate delle domande secondo il modello:*

– Comprare le sigarette
Marta, mi compreresti le sigarette?
Marta, potresti comprarmi le sigarette?
Marta, ti dispiacerebbe comprarmi le sigarette?

1. Accompagnare all'aeroporto
....
....
....
2. Ascoltare un momento
....
....
....
3. Dare un passaggio alla stazione
....
....
....
4. Prestare il dizionario
....
....
....
5. Scrivere una lettera a macchina
....
....
....
6. Fissare un appuntamento con il dottore
....
....
....

O. *Trasformate secondo il modello:*

– Andrea, devi mangiare meno!
Andrea, dovresti mangiare meno.
Andrea, al tuo posto, io mangerei meno.

1. Devi leggere il giornale ogni giorno!
....
....
2. Devi fare un po' di sport!
....
....
3. Devi studiare qualche lingua straniera!
....
....
4. Devi uscire più spesso!
....
....
5. Devi prendere un'aspirina!
....
....
6. Devi andare in vacanza!
....
....

P. *Trasformate secondo il modello:*

– Signor Pini, deve smettere di fumare!
Signor Pini, dovrebbe smettere di fumare.
Signor Pini, al Suo posto, io smetterei di fumare.

1. Deve bere di meno!
....
....
2.Deve andare dal medico!
....
....
3. Deve prendere qualche giorno di ferie!
....
....
4. Deve dormire di più!
....
....
5. Non deve fare le ore piccole!
....
....
6. Deve finire il lavoro prima di partire!
....
....

La macchina nuova

Date un consiglio ad un vostro amico che ha deciso di cambiare la macchina (è incerto se comprare la «Uno», la «Y10» o la «Golf»):

Fiat «Uno»

Autobianchi «Y 10»

Volkswagen «Golf»

	CV	Lunghezza max (cm)	Velocità max (km/h)	Prezzo
Fiat «Uno» 45, 5 porte	**45**	**369**	**145**	**13.006.105**
Autobianchi «Y10» Fire	**45**	**339**	**145**	**12.555.690**
Volkswagen «Golf» 1400 GL, 3 porte	**60**	**402**	**157**	**18.242.700**

Q. *Trasformate secondo il modello:*

Perché non frequenti un altro corso d'inglese? Dovresti frequentare un altro corso d'inglese.

1. Perché non hai un po' di pazienza?
....
2. Perché Aldo non viaggia più spesso?
....
3. Perché non vi riposate un po'?
....
4. Perché non ti svegli prima la mattina?
....
5. Perché non prendete qualche giorno di ferie?
....
6. Perché i bambini non stanno un po' più all'aria aperta?
....

R. *Trasformate secondo il modello:*

Perché non hai seguito il mio consiglio? Avresti dovuto seguire il mio consiglio.

1. Perché non hai fatto il viaggio in treno?
....
2. Perché non hai chiamato subito il medico?
....
3. Perché non hai avvertito i tuoi amici?
....
4. Perché non hai scritto a Maria?
....
5. Perché non hai studiato?
....
6. Perché non hai telefonato a Maura?
....

S. *Trasformate secondo il modello:*

Perché non sei andata dal medico? Saresti dovuta andare dal medico.

1. Perché non sei partita subito?
....
2. Perché non sei arrivata in tempo?
....
3. Perché non sei venuta con noi?
....
4. Perché non sei rimasta con Giorgio?
....
5. Perché non sei tornata prima?
....
6. Perché non sei andata a lezione?
....

T. *Trasformate secondo il modello:*

Potreste smettere di fumare. Avreste potuto smettere di fumare.

1. Potreste bere meno.
....
2. Potreste studiare di più.
....
3. Potreste prendere un giorno di vacanza.
....
4. Potreste leggere quel libro.
....
5. Potreste telefonare a Mario.
....
6. Potreste scrivere a vostro fratello.
....

U. *Trasformate secondo il modello:*

Potresti andare dal dottore. Saresti potuto andare dal dottore.

1. Potresti partire subito.
....
2. Potresti uscire più spesso.
....
3. Potresti tornare a casa a pranzo.
....
4. Potresti restare di più in biblioteca.
....
5. Potresti venire con noi.
....
6. Ti potresti alzare prima la mattina.
....

● ● ● ● ● ● ● ● ● ● ● ● ● ● ●

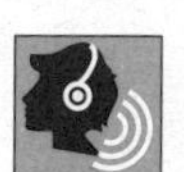

Ascoltate il testo e indicate con una X i programmi preferiti dai vari personaggi:

	Programmi musicali	**Programmi sportivi**	**Documentari**	**Film**	**Quiz**	**Telegiornale**
Ernesto						
Carlo						
Marta						
Elena						
Giorgio						

Una serata in casa Baldini

Stasera in casa Baldini c'è un po' di confusione: tutti vogliono guardare la TV, ma ognuno vuole scegliere un programma diverso.

Costruite un dialogo sulla base delle seguenti indicazioni:

Ugo, il padre, vuole vedere «Mezzogiorno di fuoco»; gli piacciono molto i film western e poi il protagonista è Gary Cooper, il suo attore preferito. La moglie Anita dice che non ha nessuna intenzione di guardarlo, è troppo vecchio, vorrebbe invece vedere «Settembre», perché una sua collega d'ufficio le ha consigliato di non perderlo. Anche la nonna però stasera vuole guardare un film: dice che non vede l'ora di accendere la TV per vedere «La dolce vita»; l'ha già visto anni fa ma sarebbe felice di rivederlo. Infine Marco, il figlio, dice che ha fatto di tutto per essere libero stasera e guardare in pace «Opera», un giallo di Dario Argento.

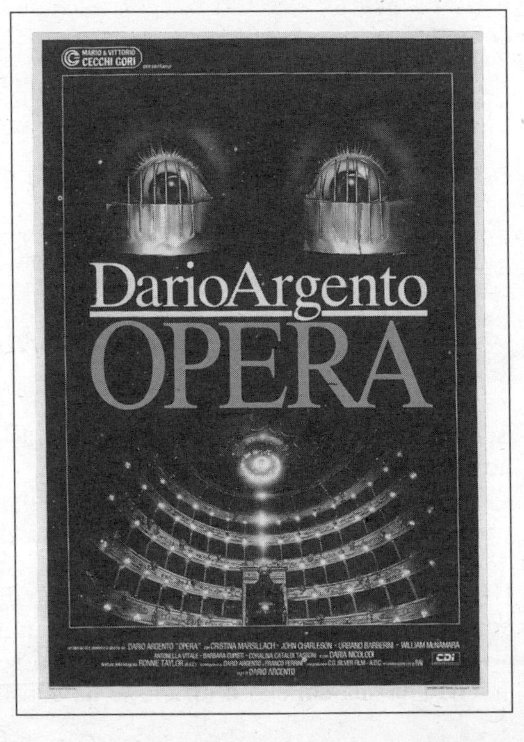

Ugo: ....
Anita: ....
La nonna: ....
Marco: ....

Immaginate di voler passare la serata davanti alla TV. Osservate i programmi e chiedete al vostro compagno che cosa preferisce guardare e perché. Esprimete le vostre preferenze.

PEAK TIME
GLI APPUNTAMENTI DELLA PRIMA E DELLA SECONDA SERATA

RaiUno	RaiDue	RaiTre	Canale5	Retequattro	Italia1	Tmc	5Stelle	Italia7
20.40 TG SETTE ● **ATTUALITÀ**	**20.30** DETECTIVE EXTRALARGE ● **FILM**	**20.45** PARTE CIVILE ● **TV-VERITÀ**	**20.40** PAPERISSIMA ● **SHOW**	**20.30** LA MIA SECONDA MADRE ● **TELENOVELA**	**20.30** FIREFOX ● **FILM**	**20.30** RICOMINCIO DA TRE ● **VARIETÀ**	**20.30** QUEL DANNATO PUGNO DI UOMINI ● **FILM**	**20.30** IL MAGNIFICO GUERRIERO ● **FILM**
21.45 PIÙ SANI PIÙ BELLI ● **ATTUALITÀ**	**22.10** IL COMMISSARIO KÖSTER ● **TELEFILM**	**22.45** PROFONDO NORD ● **ATTUALITÀ**	**22.00** CASA DOLCE CASA ● **SIT-COM**	**22.35** BUONASERA ● **SHOW**	**23.00** L'APPELLO DEL MARTEDÌ ● **SPORT**	**22.35** FESTA DI COMPLEANNO ● **VARIETÀ**	**22.20** SPORT & SPORT ● **SPORT**	**22.20** COLPO GROSSO ● **QUIZ**

Test psicologico: Sei un capo?

Dovete organizzare e arredare il vostro nuovo ufficio. Scegliete un elemento, tra quelli che vi proponiamo in ogni gruppo:

1. Scegli la tua scrivania:

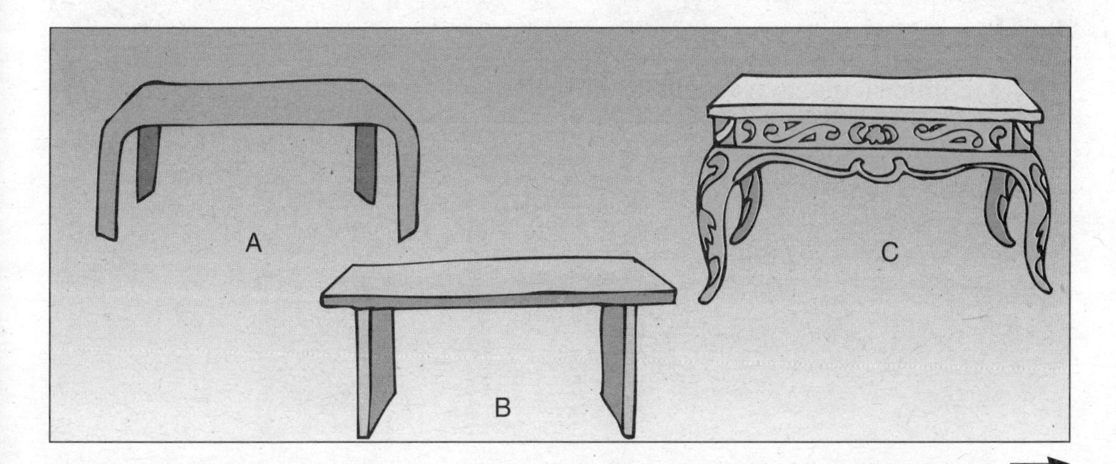

→

2. Che orologio vorresti al tuo polso?

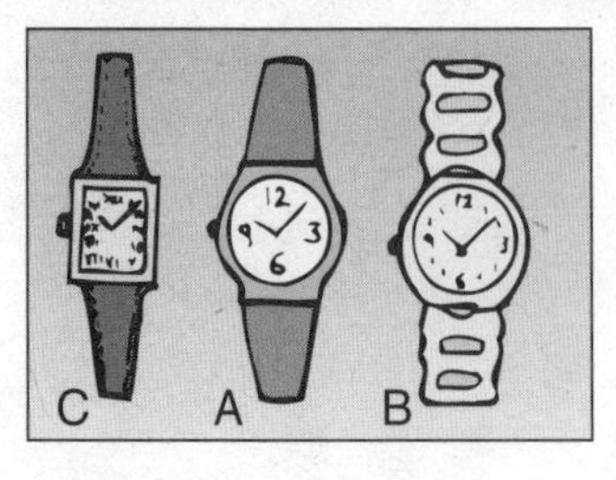

3. Con quale penna firmeresti i documenti?

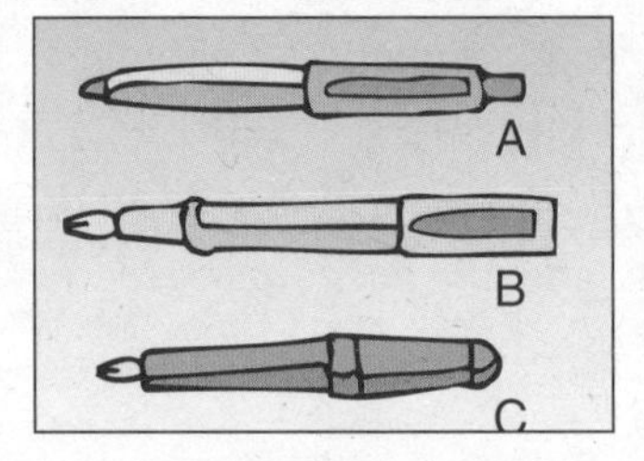

5. Quale segretaria assumeresti?

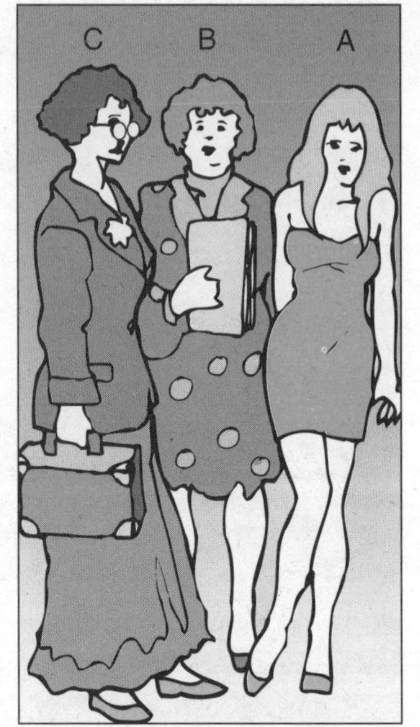

4. Che quadro metteresti alle tue spalle?

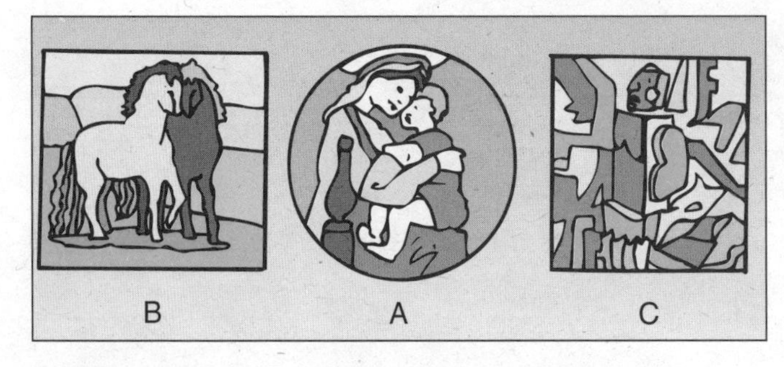

6. Prendi la tua sedia:

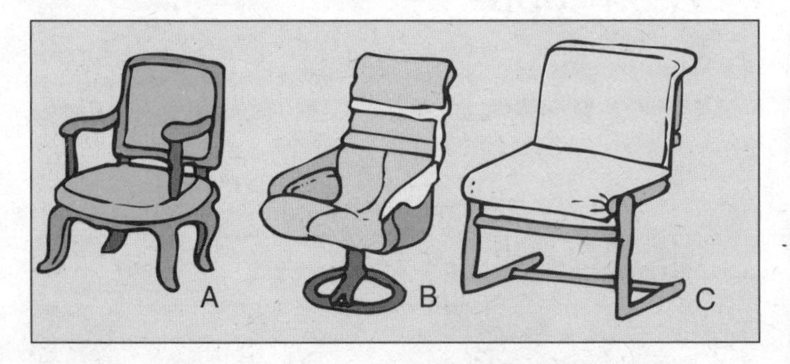

7. Che pianta terresti nella stanza?

8. E infine il tuo nuovo biglietto da visita...

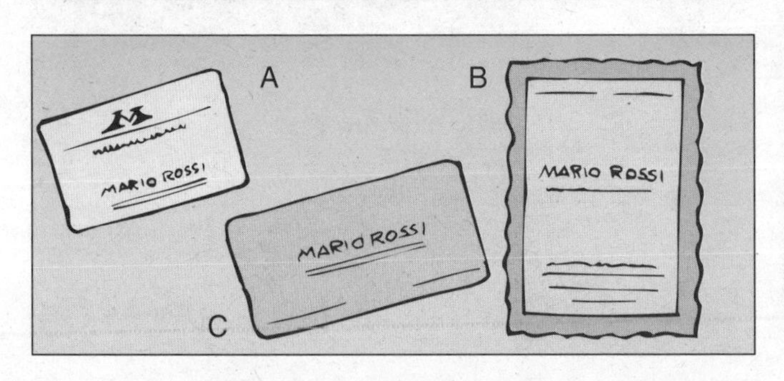

TABELLA DEI PUNTEGGI			
oggetto	**A**	**B**	**C**
scrivania	**2**	**3**	**1**
orologio	**1**	**2**	**3**
penna	**1**	**2**	**3**
quadro	**1**	**3**	**2**
segretaria	**2**	**1**	**3**
sedia	**3**	**2**	**1**
pianta	**1**	**2**	**3**
biglietto	**2**	**3**	**1**
TOTALE			

RISULTATO:

Meno di 11 punti:	sei un tipo passivo, non ti piace prendere decisioni importanti.
Da 12 a 16 punti:	sei un tipo capace di consigliare gli altri, ma non di fare.
Da 17 a 20 punti:	sei un vero Yuppy, sei ambizioso e vuoi fare carriera.
Da 21 a 24 punti:	sei un vero capo.

(Adatt. da «Oggi», 8 agosto 1990)

V. *Completate con le preposizioni:*

1. Ho nostalgia .... vecchi film .... Vittorio De Sica.
2. Stasera .... TV c'è il concerto .... diretta .... Madonna.
3. I bambini non dovrebbero passare tutto il pomeriggio davanti .... televisione; dovrebbero anche stare .... aria aperta.
4. .... casa .... Vincenzo c'è un televisore .... colori .... salotto e un televisore .... bianco e nero .... cucina.
5. I nostri vicini .... casa vanno .... cinema una volta .... settimana.
6. Seguo .... passione i programmi musicali .... radio.
7. La TV si occupa molto .... calcio, ... tennis, ... sport .... generale.
8. Francesco va matto .... i film .... avventura.
9. Prima .... uscire, voglio finire .... vedere questo documentario .... natura.
10. Paola preferisce i film .... amore .... film gialli.
11. Mi piacerebbe molto vedere un concerto .... Sting.
12. I miei hanno deciso .... comprare una casa .... mare.

Z. *Trasformate secondo il modello:*

È una città molto piccola. Sono città molto piccole.

1. È una casa molto grande.
....
2. È una Università molto famosa.
....
3. È un'ipotesi molto interessante.
....
4. È una foto molto vecchia.
....
5. È un ragazzo molto gentile.
....
6. È una moto molto veloce.
....
7. È uno sport molto popolare in Italia.
....
8. È un bar molto conosciuto.
....
9. È un'auto tedesca molto costosa.
....
10. È un'analisi molto intelligente.
....
11. È una facoltà molto difficile.
....
12. È un film molto famoso.
....

La televisione in Italia

In Italia ci sono tre canali televisivi pubblici a diffusione nazionale: Rai 1, Rai 2, Rai 3.
Negli anni '70 hanno cominciato ad affermarsi le TV private ed è così iniziata la gara fra pubblico e privato alla ricerca delle preferenze degli spettatori.
Nel 1980 hanno trasmesso i loro primi programmi Canale 5, Rete 4 e Italia 1, destinate a diventare, sotto la gestione di Silvio Berlusconi, le principali concorrenti della Rai.
Nel giugno 1991 hanno preso il via le trasmissioni di Tele+1, la prima televisione privata italiana a pagamento.

Confrontiamo...

Confrontate il sistema televisivo italiano con quello del vostro paese.

Unità 12

A. *Completetate secondo il modello:*

Carlo - simpatico - Luca
Carlo è più simpatico di Luca.
Carlo è meno simpatico di Luca.
Carlo è simpatico come Luca.

1. Carlo - puntuale - Luca
....
....
....

2. Carlo - intelligente - Luca
....
....
....

3. Carlo - paziente - Luca
....
....
....

4. Carlo - studioso - Luca
....
....
....

5. Carlo - bello - Luca
....
....
....

6. Carlo - goloso - Luca
....
....
....

B. *Completetate secondo il modello:*

Mara - alta - sua sorella
Mara è più alta di sua sorella.
Mara è meno alta di sua sorella.
Mara è alta come sua sorella.

1. Mara - magra - sua sorella
....
....
....

2. Mara - elegante - sua sorella
....
....
....

3. Mara - carina - sua sorella
....
....
....

4. Mara - gentile - sua sorella
....
....
....

5. Mara - affettuosa - sua sorella
....
....
....

6. Mara - precisa - sua sorella
....
....
....

C. *Completetate con un comparativo di maggioranza:*

1. Il mio vestito è .... elegante .... tuo.
2. Sebastiano è .... alto .... Francesco.
3. Il Monte Bianco è .... alto .... Monte Rosa.
4. Patrizia è .... giovane .... me.

5. Quella ragazza è .... larga .... lunga.
6. Molti viaggiano .... volentieri in primavera .... in estate.
7. Gli italiani mangiano .... frutta .... pesce.
8. La benzina in Italia è .... cara .... in Svizzera.
9. In inverno le giornate sono .... corte .... in estate.
10. Valeria è .... simpatica .... bella.
11. Scrivo .... volentieri con la penna .... con la matita.
12. Giovanni ha studiato .... me.
13. Il tedesco è .... difficile .... inglese.
14. Il lavoro di oggi sarà .... faticoso .... quello di ieri.
15. Il film su Rai tre è .... interessante .... quello su Rai due.
16. Lucio Dalla mi piace .... Fabrizio De André.
17. Fausto legge .... giornali .... libri.
18. Mi piace .... viaggiare .... stare a casa.
19. L'estate di quest'anno è stata .... calda .... quella dell'anno scorso.
20. Il Po è .... lungo .... Tevere.
21. Di giorno viaggio .... volentieri .... di notte.
22. Firenze è .... grande .... Perugia.
23. Questa torta è .... bella .... buona.
24. Giorgio guadagna .... Sandro.

D. *Costruite il maggior numero possibile di frasi, secondo l'esempio:*

Una volta c'erano più malattie di oggi.

Una volta	**c'erano**	**più**	....	**di**	**oggi**
Oggi	**ci sono**		....		**una volta**
Domani	**ci saranno**	**meno**	....		**oggi**

E. *Completate con le parole che seguono:*

peggiore	migliore	inferiore	superiore

1. Parti con questo brutto tempo? Potevi scegliere un momento ....
2. Questo vino mi piace molto: è sicuramente .... di quello che ho bevuto ieri.
3. I miei genitori abitano al quinto piano, io invece abito al sesto, cioè al piano ....
4. Quest'inverno è molto freddo. La temperatura è sempre .... alla media.
5. Il mio nuovo appartamento è grande e pieno di luce: è sicuramente .... di quello che avevo prima.
6. La giacca marrone è molto bella, ma questa nera è di qualità sicuramente ....

7. Milano è una città bella e piena di vita, ma in inverno fa freddo e c'è spesso la nebbia. Il clima è sicuramente .... di quello di Roma.
8. Carla è molto affezionata a sua sorella: non ha un'amica .... di lei.

F. *Trasformate secondo il modello:*

> Questo ragazzo è intelligente.
> Questo ragazzo è intelligentissimo.
> Questo ragazzo è molto intelligente.

1. Questo vino è buono.
....
....
2. Questa ragazza è simpatica.
....
....
3. Questa macchina è veloce.
....
....
4. Questi mobili sono antichi.
....
....
5. Questi esercizi sono difficili.
....
....
6. Queste attrici sono famose.
....
....

G. *Completate con un superlativo relativo:*

1. Giovanni è .... ragazzo .... alto .... classe.
2. Perugia è .... città .... grande .... Umbria.
3. L'Australia è .... continente .... piccolo .... mondo.
4. L'Arabia è .... penisola .... grande .... mondo.
5. L'Everest è .... monte .... alto .... mondo.
6. Questo è stato .... giorno .... bello .... mia vita.
7. Il Monte Bianco è .... monte .... alto .... Europa.
8. Questo è .... bar .... frequentato .... città.
9. Febbraio è .... mese .... corto .... anno.
10. Alberto è .... studente .... bravo .... classe.
11. Il dottor Rufini è .... pediatra .... noto .... città.
12. Ad Assisi ci sono .... affreschi di Giotto .... celebri .... Italia.

● ● ● ● ● ● ● ● ● ● ● ● ● ● ●

Auto sportive

Ferrari Testarossa

prezzo	velocità	lunghezza
250.000.000	290 km/h	max 449 cm

Porsche 928 GTS

prezzo	velocità	lunghezza
159.000.000	275 km/h	max 452 cm

Maserati Shamal

prezzo	velocità	lunghezza
126.000.000	270 km/h	max 410 cm

Fate tutti i paragoni possibili fra le varie auto:

1. Ferrari Testarossa – Porsche 928
– La Ferrari Testarossa è .... della Porsche 928.
– ....
– ....

2. Ferrari Testarossa – Maserati Shamal
– ....
– ....
– ....

3. Porsche 928 – Maserati Shamal
– ....
– ....
– ....

Completate:

1. La Ferrari Testarossa è la più ....
2. La Porsche 928 ....
3. La Maserati Shamal ....

Completate lo schema con i dati dell'auto che vorreste avere:

Marca e modello	Prezzo	Velocità	Consumo

Fate tutti i paragoni possibili fra l'auto dei vostri sogni e quella che avete attualmente.

Un fine-settimana d'agosto

Esprimete la vostra opinione (accordo, disaccordo o dubbio) sulle proposte di alcuni amici sul luogo dove passare un fine-settimana d'agosto. Motivate la vostra opinione.

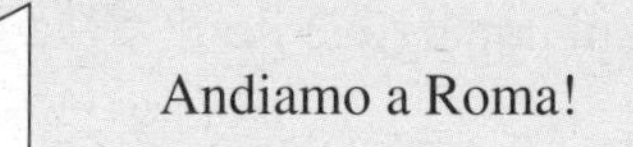

Andiamo a Roma!

1.

Perché non andiamo al mare, a Rimini, sull'Adriatico?

2.

3.

Io direi di andare al Parco Naturale della Maremma in Toscana, a visitare i Monti dell'Uccellina.

H. *Rispondete secondo il modello:*

A chi regali la penna? (Mario)
La regalo a Mario.

1. A chi regali il libro? (Elena)
....
2. A chi regali le cassette? (ragazzi)
....
3. A chi regali i fiori? (signori Bianchi)
....
4. A chi regali i dischi? (Stella e Rita)
....
5. A chi regali la torta? (genitori di Rita)
....
6. A chi regali il mazzo di fiori? (Marta)
....

I. *Rispondete secondo il modello:*

Che cosa regali a Mario? (una penna)
Gli regalo una penna.

1. Che cosa regali ad Angelo? (un libro)
....
2. Che cosa regali ai ragazzi? (delle cassette)
....
3. Che cosa regali ai signori Bianchi? (dei fiori)
....
4. Che cosa regali a Stella e a Rita? (dei dischi)
....
5. Che cosa regali ai genitori di Rita? (una torta)
....
6. Che cosa regali a Marta? (un mazzo di fiori)
....

L. *Rispondete secondo il modello:*

> È vero che regali una penna a Mario? (il compleanno)
> Sì, è vero: gliela regalo per il compleanno.

1. È vero che regali un libro ad Elena? (l'onomastico)
....
2. È vero che regali delle cassette ai ragazzi? (la promozione)
....
3. È vero che regali dei fiori ai signori Bianchi? (l'anniversario di matrimonio)
....
4. È vero che regali degli orecchini d'oro a Stella? (la laurea)
....
5. È vero che regali una torta ai genitori di Rita? (l'anniversario di matrimonio)
....
6. È vero che regali un mazzo di fiori a Marta? (il compleanno)
....

M. *Completate secondo il modello:*

> Mi serve quel libro. (dare)
> Me lo dai?

1. Mi serve la macchina. (prestare)
....
2. Mi servono le chiavi di casa. (dare)
....
3. Mi servono gli appunti. (dare)
....
4. Mi va un caffè. (offrire)
....
5. Mi vanno gli spaghetti. (preparare)
....
6. Mi interessa quella rivista. (prestare)
....
7. Mi piace quel ragazzo. (presentare)
....
8. Mi piacciono i tuoi occhiali. (regalare)
....
9. Mi piace quella torta. (offrire)
....
10. Mi interessano le tue foto. (far vedere)
....
11. Mi piace quell'orologio. (regalare)
....
12. Mi servono centomila lire. (prestare)
....

N. *Rispondete secondo il modello:*

> Quando mi presti la macchina?
> Te la presto domani.

1. Quando mi presenti la tua amica?
....
2. Quando ci dai la cassetta?
....
3. Quando ci porti la macchina da scrivere?
....
4. Quando fai vedere la foto a Gino?
....
5. Quando presenti tua sorella a Sandra?
....
6. Quando dai la notizia ai tuoi genitori?
....

O. *Completate secondo il modello:*

Marco vuole il libro?
Glielo presto volentieri.

1. Marco vuole la macchina?
....
2. Lea vuole il motorino?
....
3. Gianna vuole il dizionario?
....
4. Carla vuole la cassetta?
....
5. Mario vuole i dischi?
....
6. Carla vuole centomila lire?
....
7. I signori Rossi vogliono la macchina?
....
8. Paolo e Marco vogliono i compact?
....
9. Gianni e Dino vogliono le riviste?
....
10. Lina e Anna vogliono il computer?
....
11. I signori Rossi vogliono i libri?
....
12. Marco e Lea vogliono la moto?
....

P. *Rispondete secondo il modello:*

Quando mi mandi quel libro?
Te lo mando domani.

1. Quando mi spedisci la lettera?
....
2. Quando ci offri un caffè?
....
3. Quando scrivi una cartolina a Maria?
....
4. Quando porti il tuo regalo ai nonni?
....
5. Quando compri gli occhiali a Giorgio?
....
6. Quando fai vedere la casa a Giovanni?
....
7. Quando mi fai vedere le diapositive?
....
8. Quando ci presenti i tuoi genitori?
....
9. Quando mi presti la macchina?
....
10. Quando ci dici la verità?
....
11. Quando ci dai il tuo nuovo indirizzo?
....
12. Quando mi mandi quei libri?
....

Q. *Completate secondo il modello:*

Se vuoi la cassetta, posso prestartela io
(te la posso prestare io).

1. Se vuoi il dizionario, ...
2. Se vuoi la macchina, ...
3. Se volete i giornali, ...
4. Se volete la moto, ...
5. Se volete le riviste, ...
6. Se Marina vuole la bicicletta, ...
7. Se Gianni vuole i compact, ...
8. Se i ragazzi vogliono il libro, ...
9. Se i signori Rossi vogliono la macchina, ...
10. Se i bambini vogliono le matite, ...

R. *Completate con i pronomi:*

1. Se questi quadri ti piacciono, ... regalo uno.
2. Corrado mi ha prestato la sua macchina; devo riportar................ domattina.
3. Devo consegnare le chiavi al portiere. ....consegnerò stasera.
4. Belle queste rose! ....compri una?
   Se ti piacciono, ... compro tutte.
5. Se avete bisogno di un passaggio, ... diamo noi.
6. Mia sorella va matta per i cioccolatini al caffè: .... compro una scatola.
7. Devi battere questa lettera a macchina? .... batto io.
8. Vuoi in prestito centomila lire? Mi dispiace, posso prestar................ solo ventimila.
9. Ho ancora gli appunti di Giorgio: .... riporto domattina.
10. Mi piace questo dolce! ....dai un'altra fetta?
11. Hai bisogno dei documenti? .... lascio in ufficio.
12. Quelle sono le mie amiche! Se vuoi .... presento.

S. *Rispondete secondo il modello:*

> Chi ti ha dato questo libro?
> Me l'ha dato Mario.

1. Chi ti ha dato questo giornale?
   ....
2. Chi ti ha dato questa rivista?
   ....
3. Chi ti ha dato questa cassetta?
   ....
4. Chi ti ha dato queste informazioni?
   ....
5. Chi ti ha dato queste fotografie?
   ....
6. Chi ti ha dato questi dischi?
   ....

T. *Rispondete secondo il modello:*

> Chi ha dato questa informazione a Giorgio?
> Gliel'ha data Mario.

1. Chi ti ha dato questa penna?
   ....
2. Chi vi ha dato questa cassetta?
   ....
3. Chi ha dato questa fotografia a Ugo?
   ....
4. Chi ha dato questa rivista a Marta?
   ....
5. Chi ha dato la macchina ai ragazzi?
   ....
6. Chi ha dato la moto a Ida e a Pina?
   ....

U. *Rispondete secondo il modello:*

> Chi ti ha dato il mio indirizzo? (Giulio)
> Me l'ha dato Giulio.

1. Chi ti ha portato queste rose rosse? (Antonio)
   ....
2. Chi vi ha dato questa notizia? (Carlo)
   ....
3. Chi ha detto a Stefano di non partire? (suo fratello)
   ....

4. Chi ha consigliato ai tuoi amici di venire con il treno? (Ernesto)

....

5. Chi ha prestato la macchina a Francesca? (un suo collega)

....

6. Chi ti ha dato i cioccolatini? (un amico)

....

V. *Completate secondo il modello:*

> Perché non ci hai detto che stavi male?
> Non ve l'ho detto perché non era niente di grave.

1. Perché non hai mandato i soldi a Clara?
...., perché non ce li avevo.
2. Perché non ci hai spedito una cartolina?
...., perché non sapevo il vostro indirizzo.
3. Perché non hai prestato la macchina a Sandro?
...., perché mi serviva.
4. Perché non hai chiesto a Mara di aiutarti?
...., perché non volevo disturbarla.
5. Perché non hai comprato un regalo ai ragazzi?
...., perché non mi bastavano i soldi.
6. Perché non mi hai detto del tuo arrivo?
...., perché non ero sicuro di venire.

Z. *Completate con i pronomi:*

1. Belli quegli orecchini!
.... regalerei, ma costano un po' troppo!
2. A Dario piace molto il nuovo motorino della Piaggio!
.... comprerei, ma è troppo veloce!
3. Hai detto a Franco di venire a cena da noi?
Non ho ancora potuto dir....................: il suo telefono è sempre occupato!
4. Hai restituito i libri a Corrado?
.... ho riportato solo uno, gli altri devo ancora leggerli.
5. Chi mi fa una foto davanti a questo panorama?
.... faccio io: .... faccio una da sola e una con Antonio.
6. Perché non hai portato i documenti al direttore?
Non .... ho portat.......... perché non li ho ancora trovati.
7. Stefano, hai fatto vedere le diapositive della Turchia a tua sorella? Le sono piaciute?
Sì, ... ho fatt........ vedere, le sono piaciute molto, ... è piaciuta soprattutto una, quella del mercato di Istanbul.
8. Mi scriverai una cartolina dalla Grecia?
Certo, ... scriverò sicuramente, anzi .... scriverò molte, una da ogni località turistica che visiterò.

Z$_1$ *Completate con i pronomi:*

1. Ho comprato un mazzo di fiori per Elena e stasera .... porto.
2. Andrea mi ha chiesto 50.000 lire ed io .... ho prestat........ volentieri.
3. Ho portato la macchina dal meccanico. Ha detto che .... riparerà per domani.
4. Abbiamo conosciuto Anna: .... ha presentat........ Mario.
5. Ho ordinato due caffè: .... ho ordinat... uno lungo per me e uno corretto per Carlo.
6. Antonio ha cambiato casa; mi ha detto che presto .... farà vedere.
7. Filippo voleva la macchina, ma io non .... ho prestat...... perché ancora non sa guidare bene.
8. A Claudia piacciono molto questi cioccolatini: la prossima volta .... compro una scatola.
9. Gli invitati non conoscono il dottor Baldi: voglio presentar.................... subito.
10. Al mio collega piaceva molto il mio computer: io però non .... ho vendut... perché non eravamo d'accordo sul prezzo.
11. Ho preso uno sciroppo per la tosse: .... ha consigliat... il mio medico.
12. Questo vino piace molto ad Alberto: voglio comprar.................... una bottiglia.

Z$_2$ *Completate con le preposizioni:*

1. Il calcio è lo sport più popolare .... Italia.
2. Paolo è più simpatico .... Giorgio.
3. Marco assomiglia molto .... suo padre: sono due gocce .... acqua.
4. Maria ha deciso .... partire .... quattro e quattr'otto.
5. Vivere .... campagna è meglio che vivere .... città.
6. Voglio comprare una macchina .... seconda mano.
7. Marta ha comprato un regalo .... suo padre .... il suo compleanno.
8. Ho ricevuto .... miei genitori un orologio .... oro.
9. Preferisco viaggiare .... estate piuttosto che .... inverno.
10. Dove vai .... questo brutto tempo?
11. I signori Rossi abitano .... sesto piano.
12. Raffaella è una ragazza piena .... vita.

Z$_3$ *Completate con le preposizioni:*

1. Devo prestare la macchina .... mio fratello.
2. Gianni è tornato .... casa .... piedi.
3. I ragazzi andranno .... Roma .... treno .... nove.
4. Quando Marco finisce .... studiare, va .... centro .... incontrare i suoi amici.
5. Domani partiremo .... Parigi .... aereo.
6. Voglio scrivere .... miei genitori.
7. Marta va .... Università .... l'autobus numero 20.
8. Ho cominciato .... parlare italiano .... i miei amici .... Firenze.
9. Ho un appuntamento .... Franco .... dieci davanti .... bar .... stazione.
10. .... finestra vedo un bel panorama.
11. Pierre vive .... Nizza .... Francia.
12. Max vive .... New York .... Stati Uniti.

Z_4 *Completate con le preposizioni:*

UNA SPILLO BIANCHI
VA BENE .... CITTÀ,
.... CAMPAGNA,
.... SALITA,
.... DISCESA,
.... GIORNO,
.... NOTTE.
VA BENE .... VOI.
SMETTETE .... SOGNARLA.

Regali

Completate il seguente dialogo:

Claudia: ....!
Giulia: Ti piace? È d'oro!
Claudia: ....?
Giulia: Me l'ha regalato Antonio per San Valentino.
Claudia: ....?
Giulia: Io gli ho comprato un portachiavi.
Claudia: ....?
Giulia: Nella nuova gioielleria vicino al Duomo.

Costruite un dialogo sulla base delle seguenti indicazioni:

Gina ed Eleonora devono fare un regalo ad Alberto, il loro capufficio. Gina dice che lei gli comprerebbe una penna «Aurora», Eleonora risponde che Alberto ce l'ha già, gliel'ha regalata la moglie per il suo compleanno. Gina dice che non lo sapeva e che non le viene in mente nessuna idea. Eleonora dice che forse il regalo migliore è una borsa di pelle per i documenti, perché Alberto ha dimenticato la sua in treno e ancora non gliel'hanno restituita. Gina dice che è d'accordo e che potrebbero andare insieme a comprarla alla fine dell'orario d'ufficio.

Gina: ....
Eleonora: ....
Gina: ....
Eleonora: ....
Gina: ....

Il tenero Giacomo...

(Da «La settimana enigmistica», 2 febbraio 1991)

Completate con le preposizioni:

1. È mattina. Giacomo si è alzato .... poco e come ogni giorno, prima .... andare .... ufficio, sta facendo il bagno. Mentre è .... vasca piena .... acqua calda, bussano .... porta.
Giacomo aspetta qualche minuto, ma dopo un po' esce .... vasca .... bagno, si mette l'accappatoio e va .... ingresso.
Ancora tutto bagnato apre la porta .... suo appartamento: fuori, davanti .... lui, c'è un uomo che vende spugne e spazzole .... il bagno.
Giacomo è contento perché .... molti giorni pensa .... comprare una spugna e una spazzola nuove.

Completate il racconto:

2. Ieri mattina Giacomo si era alzato da poco e ....
....
....
....
....
....
....
....
....

  *Ascoltate il testo e dite che lavoro fa il signor Fruttini.*

Indicate quali sono gli aspetti positivi e quelli negativi del lavoro del signor Fruttini.

Aspetti positivi	Aspetti negativi
....	....
....	....
....	....

Roma è la capitale più sicura

Roma. Tra le capitali più importanti del mondo, Roma è quella che offre più sicurezza ai suoi abitanti. In un anno la capitale italiana ha registrato 182.975 delitti, contro i 299.000 di Parigi, i 712.419 di New York e i 763.380 di Londra.
La percentuale più alta di delitti si registra invece a Copenaghen, dove nel 1989, anno dell'ultima rilevazione, gli omicidi sono stati 101.514.

(Da «L'Indipendente», 19 novembre 1991)

Completate:

Roma è ....
Infatti in un anno ....
Copenaghen è ....
Infatti in un anno ....

Todi, la città migliore del mondo

È italiana la città migliore del mondo

BENVENUTI A TODI
DOVE LA VITA È UNA BELLEZZA

Criminalità, traffico, corruzione, inquinamento, burocrazia, intolleranza... Vivere nelle metropoli è diventato impossibile. Come salvarsi? L'Università del Kentucky ha studiato i più diversi modelli di aggregati urbani, ha messo a confronto, con il computer, un'infinità di dati, e ha individuato il luogo ideale dove andare a stare. Sorpresa: è una piccola città in collina, nel sud dell'Umbria, abitata da 17 mila persone.

Completate:

Todi è una piccola città ....
....
....
....
Secondo alcuni ricercatori dell'Università del Kentucky ....
....
....
....

L'autostrada del Sole

L'autostrada del Sole (A1), lunga circa 800 chilometri, collega il Nord al Sud dell'Italia. Ha questo nome perché porta alle terre del sole «dove fioriscono i limoni» (Goethe). Iniziata alla fine degli anni '50, la costruzione è stata completata nel 1964: la prima macchina che ha potuto percorrere tutta l'Autosole è stata una Fiat 500; l'avvenimento è stato ripreso dalle televisioni di tutto il mondo.
C'è chi dice che l'Autosole ha fatto l'Unità d'Italia più di Cavour e di Mazzini.

Rispondete alle domande:

1. Da noi l'autostrada si paga: e da voi?
....
2. Da noi gli autogrill sono molto frequenti: e da voi?
....
3. Da noi nell'autogrill si vende di tutto: e da voi?
....

Unità 13

A. *Trasformate secondo il modello:*

> Devi studiare.
> Studia!

1. Devi mangiare meno.
....
2. Devi prendere una decisione.
....
3. Devi partire subito.
....
4. Devi abbassare la televisione.
....
5. Devi aprire la porta.
....
6. Devi spegnere lo stereo.
....

B. *Trasformate secondo il modello:*

> Dovresti aspettare un momento.
> Aspetta un momento!

1. Dovresti ascoltare i miei consigli.
....
2. Dovremmo partire subito.
....
3. Dovreste leggere questo libro.
....
4. Dovresti assaggiare questo vino.
....
5. Dovremmo restare a casa stasera.
....
6. Dovreste prendere un giorno di riposo.
....
7. Dovresti mettere un vestito pesante.
....
8. Dovremmo aspettare fino alle otto.
....
9. Dovreste smettere di discutere.
....
10. Dovresti chiamare il medico.
....
11. Dovreste mandare una cartolina a Ivo.
....
12. Dovremmo finire il lavoro per domani.
....

C. *Trasformate secondo il modello:*

> Signorina, perché non aspetta un momento?
> Signorina, aspetti un momento!

1. Professore, perché non viene a cena con noi?
....
2. Signorina, perché non parte più tardi?
....
3. Signore, perché non beve qualcosa?
....
4. Signora, perché non ritelefona fra un'ora?
....
5. Signora, perché non entra un attimo?
....
6. Signore, perché non prende qualcosa da bere?
....

D. *Date ordini secondo il modello:*

Dite a Paolo di abbassare la radio.
Paolo, abbassa la radio!

1. Dite a Paolo di sparecchiare la tavola.
....
2. Dite a Paolo di arrivare in orario.
....
3. Dite a Paolo di rispondere al telefono.
....
4. Dite a Paolo di chiudere la porta.
....
5. Dite a Paolo di tornare presto.
....
6. Dite a Paolo di lavare i piatti.
....

E. *Date ordini secondo il modello:*

Dite ai bambini di spegnere la TV.
Bambini, spegnete la TV!

1. Dite ai bambini di mettere in ordine la camera.
....
2. Dite ai bambini di mettere il pigiama.
....
3. Dite ai bambini di apparecchiare la tavola.
....
4. Dite ai bambini di aprire la porta.
....
5. Dite ai bambini di andare a letto presto.
....
6. Dite ai bambini di fare silenzio.
....

F. *Trasformate secondo il modello:*

Studia ancora un po'!
Non studiare più!

1. Mangia ancora un po'!
....
2. Leggi ancora un po'!
....
3. Parla ancora un po'!
....
4. Dormi ancora un po'!
....
5. Lavora ancora un po'!
....
6. Scrivi ancora un po'!
....

G. *Trasformate secondo il modello:*

Non deve uscire!
Non esca!

1. Non deve aprire la porta!
....
2. Non dovete andare via!
....
3. Non dobbiamo dire bugie!
....
4. Non devi bere molto!
....
5. Non deve partire!
....
6. Non devi andare a casa!
....

H. *Trasformate secondo il modello:*

Parla a voce alta!
Non parlare a voce alta!

1. Ascolta i tuoi amici!
....
2. Guardate la TV!
....
3. Parli in inglese!
....
4. Accendi la radio!
....
5. Guardi nel dizionario!
....
6. Telefonate a casa!
....

I. *Rispondete secondo il modello:*

Posso chiudere la finestra?
Sì, chiudila pure!

1. Posso fumare una sigaretta?
....
2. Posso aprire la porta?
....
3. Posso invitare Sandro?
....
4. Posso usare il telefono?
....
5. Posso aprire le finestre?
....
6. Posso prendere il tuo libro?
....

L. *Completate secondo il modello:*

Se ti piace quel vestito, compralo.

1. Se ti piace quel cappello, ...
2. Se ti piace quella macchina, ...
3. Se ti piacciono quei libri, ...
4. Se ti piacciono quelle scarpe, ...
5. Se ti piace quel quadro, ...
6. Se ti piacciono quelle poltrone, ...

M. *Trasformate secondo il modello:*

Mi aiuti?
Aiutami, per favore.

1. Mi chiami stasera?
....
2. Mi telefoni?
....
3. Mi aspettate?
....
4. Ci accompagni?
....
5. Ci scrivete?
....
6. Mi invitate?
....

N. *Rispondete secondo il modello:*

Possiamo prendere questo libro?
No, non prendetelo!

1. Possiamo fumare una sigaretta?
....
2. Possiamo chiudere la finestra?
....
3. Possiamo invitare i nostri amici?
....
4. Possiamo prendere la tua macchina?
....
5. Possiamo accendere lo stereo?
....
6. Possiamo mangiare i cioccolatini?
....

O. *Completate secondo il modello:*

Se vuole fumare una sigaretta, la fumi pure!

1. Se vuole aprire la finestra, ...
2. Se vuole accendere lo stereo, ...
3. Se vuole spedire questo pacco, ...
4. Se vuole finire l'esercizio, ...
5. Se vuole invitare i Suoi amici, ...
6. Se vuole ascoltare queste cassette, ...

P. *Trasformate secondo il modello:*

Perché non ti svegli prima la mattina?
Svegliati prima la mattina!

1. Perché non vi sbrigate?
....
2. Perché non ti vesti in fretta?
....
3. Perché non vi fate la barba?
....
4. Perché non ci mettiamo a studiare?
....
5. Perché non ti iscrivi all'Università?
....
6. Perché non ci riposiamo un po'?
....

Q. *Rispondete secondo il modello:*

Che cosa posso regalare a Mario? (un orologio)
Regalagli un orologio.

1. Che cosa posso regalare a Lucia? (un profumo)
....
2. Che cosa posso regalare ai ragazzi? (un libro)
....
3. Che cosa possiamo regalare a Marta? (una borsa)
....
4. Che cosa possiamo regalare al nostro collega? (una penna d'oro)
....
5. Che cosa posso regalare a mia moglie? (una collana)
....
6. Che cosa posso regalare a mio marito? (un'agenda di pelle)
....

R. *Completate secondo il modello:*

Manda il tuo indirizzo a Rita.
Mandaglielo subito.

1. Compra le medicine a Piero.
....
2. Scriviamo una cartolina al professore.
....
3. Prestate la macchina a Giovanna.
....
4. Riporta i libri a Silvio.
....
5. Regaliamo un mazzo di fiori a Giulia.
....
6. Preparate la cena ai ragazzi.
....

S. *Trasformate secondo il modello:*

Gino, ti prego di dire la verità.
Gino, di' la verità!

1. Gino, ti prego di andare subito a casa.
....
2. Gino, ti prego di fare subito gli esercizi.
....
3. Gino, ti prego di dare una mano a Teo.
....
4. Gino, ti prego di stare calmo.
....
5. Gino, ti prego di avere pazienza.
....
6. Gino, ti prego di essere ordinato.
....

T. *Trasformate secondo il modello:*

Signorina, La prego di essere precisa.
Signorina, sia precisa!

1. Signorina, La prego di stare attenta.
....
2. Signorina, La prego di andare subito in banca.
....
3. Signorina, La prego di dire quello che pensa.
....
4. Signorina, La prego di fare questo lavoro subito.
....
5. Signorina, La prego di dare questo foglio al direttore.
....
6. Signorina, La prego di avere più pazienza.
....

U. *Trasformate secondo il modello:*

Potresti farmi un favore?
Fammi un favore!

1. Potresti farci un piacere?
....
2. Potresti darmi una mano?
....
3. Potresti dirmi la verità?
....
4. Potresti starci a sentire?
....
5. Potresti andarmi a comprare il pane?
....
6. Potresti andarci a prendere le sigarette?
....

V. *Completate secondo il modello:*

Se vuoi fare quel lavoro, fallo.

1. Se vuoi dire la verità, ...
2. Se vuoi fare quello che vuoi, ...
3. Se vuoi dire quello che pensi, ...
4. Se vuoi dare una mano, ...
5. Se vuoi dare un consiglio, ...
6. Se vuoi fare una torta, ...

Z. *Completate con l'imperativo:*

1. Rispondete alle domande di un amico che avete invitato ad una festa:

– Posso portare alcuni amici? ....
– Posso portare le mie sorelle? ....
– Posso portare il mio cane dobermann? ....
– Posso portare anche i miei bambini? ....

2. Rispondete alle domande di due vostri amici:

– Possiamo prendere la tua macchina? ....
– Possiamo andarci a Roma? ....
– Dopo possiamo prestarla a Gianna? ....

3. Dite alla vostra segretaria di:

– battere a macchina una lettera ....
– farlo subito ....
– dire quando avrà finito di scriverla ....
– andare subito alla posta ....
– spedirla ....

4. Dite ad uno studente che arriva tardi a lezione di:

– non fare le ore piccole tutte le sere ....
– alzarsi prima ....
– arrivare in orario ....
– stare attento ....

5. Date al vostro amico il consiglio di:

– mangiare di meno ....
– fare una dieta ....
– farla seriamente ....
– fare molto sport ....
– farlo ogni giorno ....
– giocare a tennis ....

6. Date al vostro amico il consiglio di:

– misurarsi subito la temperatura ....
– mettersi la sciarpa e il cappotto ....
– andare dal dottore ....
– andarci prima possibile ....
– ricordarsi di prendere le medicine ....

7. Pregate il vostro amico che guida la macchina di:

– essere prudente ....
– andare piano ....
– rallentare in curva ....
– non sorpassare ....
– non innervosirsi ....
– non dire parolacce ....

Z1 *Trasformate secondo il modello:*

> Paolo dice a Marco: «Abbassa lo stereo!».
> Paolo dice a Marco di abbassare lo stereo.

1. Paolo dice a Marco: «Chiudi la finestra!».
....
2. Paolo dice a Marco: «Accendi la radio!».
....
3. Paolo dice a Marco: «Metti in ordine il salotto!».
....
4. Paolo dice a Marco: «Prepara la cena!».
....
5. Paolo dice a Marco: «Rispondi al telefono!».
....
6. Paolo dice a Marco: «Chiudi bene la porta!».
....

Permessi e divieti

Osservate i disegni e dite che cosa le persone devono o non devono fare, possono o non possono fare:

Che cosa direste?

1. Hanno bussato alla porta: è un vostro amico. →
– Ciao, accomodati!
– Entra, non stare lì fuori!
– Che piacere! Vieni!

2. Dovete uscire con vostra moglie, avete molta fretta, ma lei deve ancora finire di prepararsi. →
....
....
....

3. C'è molto traffico per strada: un bambino vuole attraversare. →
....
....
....

4. Dei vostri amici partono per un viaggio. Volete fargli gli auguri. →
....
....
....

5. Siete in macchina con un amico che guida troppo veloce. →
....
....
....

6. Siete a tavola con la vostra famiglia: suona il telefono, ma non avete voglia di andare a rispondere. →
....
....
....

7. Bussano alla porta: è un vostro vicino di casa che vi chiede in prestito un martello e dei chiodi. →
....
....
....

8. Suona il telefono: è il capufficio di vostra moglie che vuole parlarle; lei però torna fra mezz'ora. →
....
....
....

L'acqua è un bene prezioso

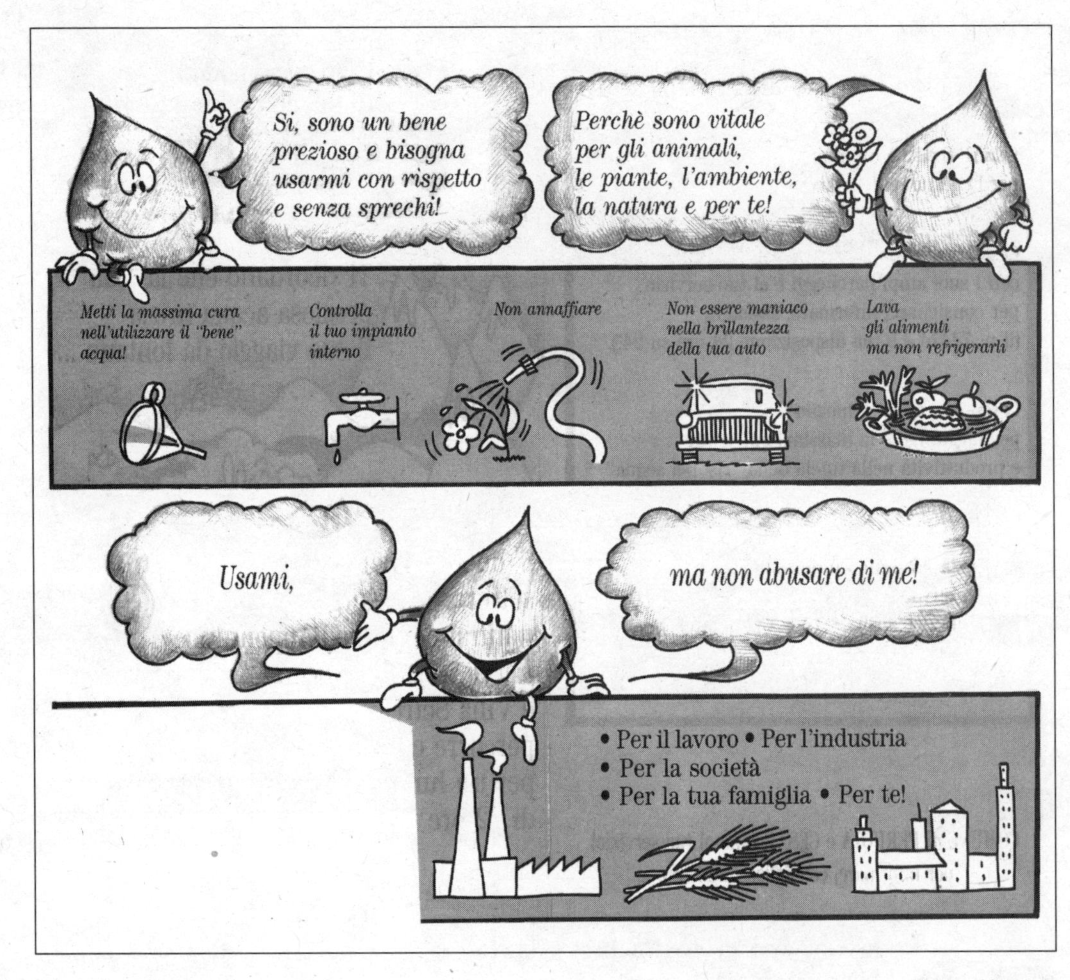

(Comune di Perugia e CESAP s.p.a.)

Completate:

L'acqua è un bene .... ed è ....
....
Per non sprecarla bisogna ....
Non bisogna ....
....

Z2 *Completate con le preposizioni:*

SORRIDI !

UNA MOTO, UN CICLOMOTORE, UNO SCOOTER E, SORRIDI!

Z3 *Completate con le preposizioni:*

Stamattina mi sono svegliato .... sette; sono uscito .... casa .... otto e sono andato .... bar .... fare colazione. Subito dopo sono andato .... Università .... alcuni amici.
La lezione cominciava .... nove, ma io sono arrivato .... ritardo. Sono uscito .... Università .... una circa e avevo molta fame. Così sono andato ...... mangiare .... mensa .... Pina.
Dopo pranzo siamo andati .... bar .... prendere un caffè e poi .... corsa .... casa .... studiare.
Ho studiato fino .... sette. Poi sono andato .... centro: avevo un appuntamento .... Enrico. Abbiamo mangiato .... pizzeria e dopo cena siamo tornati .... casa. Ho guardato un po' la TV e .... mezzanotte sono andato .... letto.

Quando il lato dolce della vita viene dal telefono...

Completate con il numero telefonico giusto:

1. Se volete preparare un piatto regionale, fate il numero ....
2. Se volete preparare qualcosa di speciale, ma avete poco tempo a disposizione, telefonate al ....
3. Se siete a dieta e volete una ricetta con poche calorie, chiamate il numero ....
4. Se volete una ricetta della vostra nonna, fate il numero ....
5. Se non mangiate carne, telefonate al ....
6. Se vi piace il riso e volete una ricetta speciale, chiamate il numero ....
7. Se al posto di primo, secondo e contorno volete preparare un solo piatto, fate il numero ....
8. Se volete qualcosa di diverso dalla solita cucina italiana, telefonate al ....
9. Se volete preparare qualcosa di buono da bere, chiamate il numero ....

Scrivete i due biglietti secondo le seguenti indicazioni:

Prima di uscire

La signora Rossi, prima di uscire di casa, scrive un biglietto con alcune indicazioni per la figlia Patrizia e un biglietto per Maria, la donna che l'aiuta in casa.

Alla figlia Patrizia scrive di:

– rispondere alle telefonate
– telefonare all'agenzia turistica e prenotare un posto sull'espresso Roma-Milano
– mettere in ordine la camera
– portare fuori il cane
– non tenere tutte le luci di casa accese

A Maria scrive di:

- andare a fare la spesa
- passare in lavanderia a ritirare l'impermeabile
- non dimenticarsi di andare in farmacia a comprare lo sciroppo
- pulire il salotto con l'aspirapolvere
- non preoccuparsi per il pranzo

Patrizia,

Ascoltate il testo e indicate sulla cartina il tragitto che Jerry deve fare per raggiungere la casa degli zii:

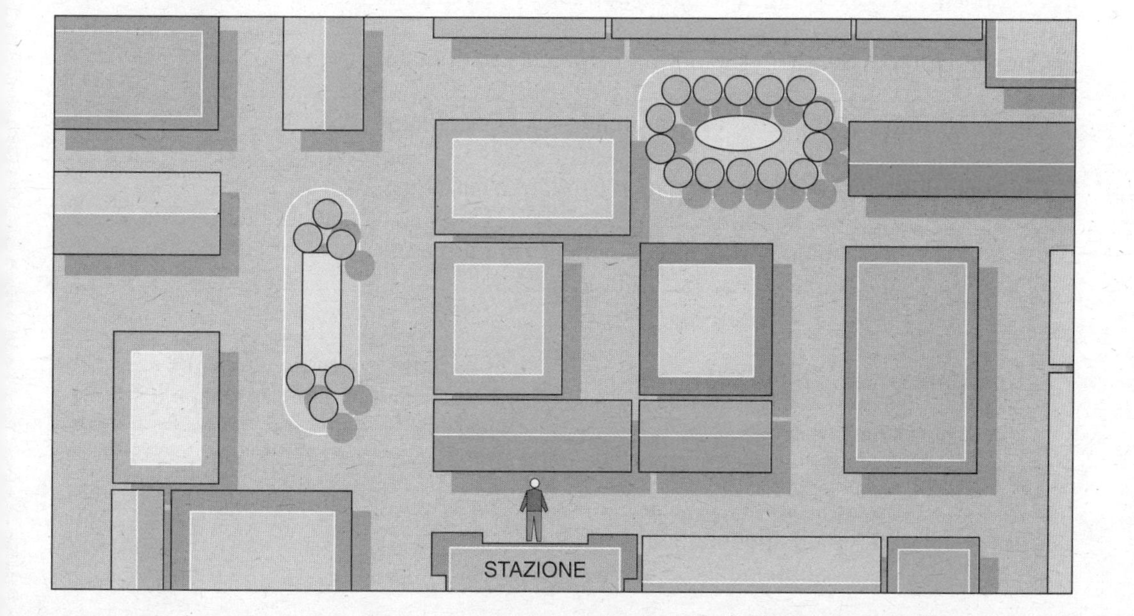

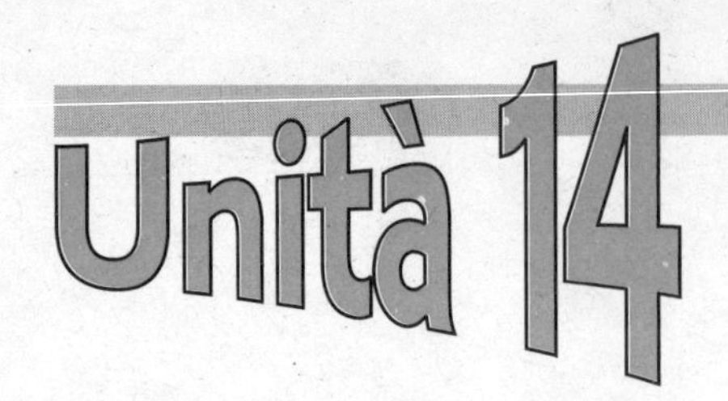

A. *Rispondete secondo il modello:*

> Chi è Elena? (abita con me)
> È la ragazza che abita con me.

1. Chi è Enrico? (mi ha invitato a pranzo)
....
2. Chi è Valeria? (mi ha telefonato poco fa)
....
3. Chi è Antonio? (ho conosciuto in vacanza)
....
4. Chi è Giulia? (ha vinto la borsa di studio)
....
5. Chi è Matteo? (abbiamo incontrato per strada)
....
6. Chi è Matilde? (devo accompagnare alla stazione)
....

B. *Rispondete secondo il modello:*

> Chi sono Aldo e Giuseppe? (lavorano nel mio ufficio)
> Sono i ragazzi che lavorano nel mio ufficio.

1. Chi sono Carlo e Andrea? (ho salutato poco fa)
....
2. Chi sono Lucia e Teresa? (vengono con me in palestra)
....
3. Chi sono Piero e Sergio? (ho invitato alla festa di domani)
....
4. Chi sono Dino e Stefano? (vado a prendere alla stazione)
....
5. Chi sono Pina e Giovanna? (ci hanno ospitato a casa loro)
....
6. Chi sono Luca e Nando? (lavorano nel negozio qui vicino)
....

C. *Rispondete secondo il modello:*

> Chi è Elena? (studio con lei)
> È la ragazza con cui/con la quale studio.

1. Chi è Enrico? (vado a pranzo da lui)
....
2. Chi è Valeria? (ho un appuntamento con lei)
....

3. Chi è Antonio? (ho dato il mio indirizzo a lui)

....

4. Chi è Giulia? (ho scritto una cartolina a lei poco fa)

....

5. Chi è Matteo? (a lui piace molto la mia casa)

....

6. Chi è Matilde? (sono stata ospite da lei l'anno scorso)

....

D. *Rispondete secondo il modello:*

> Chi sono Aldo e Giuseppe? (esco con loro stasera)
> Sono i ragazzi con cui esco stasera.

1. Chi sono Carlo e Andrea? (ti ho parlato di loro)

....

2. Chi sono Lucia e Teresa? (ho prestato la mia macchina a loro)

....

3. Chi sono Piero e Sergio? (ho preparato una sorpresa per loro)

....

4. Chi sono Dino e Stefano? (vado al cinema con loro)

....

5. Chi sono Pina e Giovanna? (ho ricevuto un regalo da loro)

....

6. Chi sono Luca e Nando? (crediamo molto in loro)

....

E. *Completate con i pronomi relativi:*

1. Sono arrivato proprio nel momento .... il treno partiva.
2. La facoltà, ... si è iscritto Enzo, è Lettere e Filosofia.
3. Il signore, ... ho salutato poco fa, è il mio direttore.
4. Non conosco la persona .... mi stai parlando.
5. L'aereo, ... è sceso il signor Borletti, è un Boeing 747.
6. L'appartamento, ... abita Marco, è grande e luminoso.
7. Lo zio Dario, ... ti ho parlato qualche tempo fa, arriverà domani.
8. Non capisco il motivo .... vuoi cambiare lavoro.
9. Sono molto simpatici i ragazzi .... abbiamo incontrato sul treno.
10. La ragazza, ... esce Stefano, è molto carina.
11. Non riesco a trovare il giornale .... ho comprato stamattina.
12. Elena è la ragazza .... Leonardo telefona ogni sera.

F. *Completate con i pronomi relativi:*

1. Questo è il cagnolino .... ho trovato per strada ieri sera.
2. Parigi è una città .... ho passato giorni indimenticabili.
3. Il tavolo, ... c'è il telefono, è antico.
4. È arrivato Paolo proprio nel momento .... stavo uscendo.

5. Vorrei spiegarti la ragione .... non sono venuto da te ieri.
6. Il treno, ... ho viaggiato, è molto veloce.
7. Non ricordo il nome del libro .... mi hai prestato.
8. Lorenzo è il collega .... devo prenotare il posto a teatro.
9. La casa, ... abitiamo, è fredda.
10. Non ho ancora finito di leggere le riviste .... mi hai prestato il mese scorso.
11. Il signore, ... ho indicato la strada per Assisi, è sicuramente straniero.
12. Nell'armadio ci sono i regali .... ho comprato per i bambini.

G. *Completate con «ci» o «ne»:*

1. Ci interessa la politica: .... discutiamo spesso.
2. Giorgio non lascerà mai la sua ragazza: .... è troppo innamorato.
3. Non vengo a Firenze con voi, perché .... sono stato ieri.
4. Marta spende un sacco di soldi per i vestiti: .... tiene molto ad essere elegante.
5. Il clima di Milano è molto umido, ma mi .... abituerò.
6. Non ho intenzione di andare a quella festa: sono sicura che non .... vale la pena.
7. Con questi occhiali non .... vedo più: devo andare dall'oculista!
8. .... vogliono molti soldi per vivere in Italia.
9. Angelina è una bambina simpatica: mi piace giocar.............. .
10. Paolo non è stato gentile con noi: non voglio più neanche sentir.............. parlare.
11. Sono andati a Francoforte per la Fiera del libro e .... sono rimasti tre giorni.
12. Per andare a Napoli con la tua vecchia Fiat 500 .... metterai molto tempo.

H. *Completate con «ci» o «ne»:*

1. È inutile che mi racconti questa storia: non me .... importa niente.
2. Devo cambiare posto, perché da qui non .... vedo e non .... sento bene.
3. Quanto tempo .... metti per venire in ufficio?
4. Questa proposta è interessante: .... penserò e poi ti darò una risposta.
5. Fabio vuole rimanere ancora a Milano perché .... si trova molto bene.
6. Sono veramente stufo di mangiare alla mensa: non .... posso più!
7. Dopo la lezione gli studenti se .... sono andati a casa.
8. È da molti mesi che non vedo i miei genitori: .... ho molta nostalgia!
9. Riportami quel libro: spero che non te .... dimenticherai!
10. Voglio cambiare casa. Che .... pensate?
11. .... è voluto molto tempo per convincerlo a venire con noi.
12. Questi spaghetti erano ottimi: per questo .... ho mangiati tanti!

I. *Completate con i pronomi:*

1. Oggi è l'onomastico di Ivo: .... ho regalato un libro, ... ho dato stamattina.
2. Ecco Paolo! .... chiedo in prestito la sua macchina, ... chiedo subito.
3. Ho dato a Mario il tuo indirizzo: .... ho dat....... perché così .... scriverà.
4. Alberto è tornato? Ora .... telefono e .... invito a cena a casa mia.
5. Lucia vuole le chiavi di casa, ma io non .... posso dare.

6. Vorrei le cassette di Roberto, ma lui non .... dà.
7. Chi .... ha regalato questo mazzo di fiori?
   .... ha regalat........ Giovanni.
8. Signorina, ... dispiace aiutar........ a fare questo lavoro?
9. Ada, ... sono piaciut........ le mie poesie?
   Sì, ... sono piaciut........ molto.
10. Devo restituire i libri a Bruno. Devo restituir.............. stasera.
11. Paola, per favore, ... compri il giornale?
    Mi dispiace, ho fretta, non .... posso comprare.
12. Claudio voleva conoscere Rosa, ma io non .... ho presentat........ .

L. *Completate con le preposizioni:*

1. Ti ho parlato spesso .... Giorgio, quel mio amico che vive .... Stati Uniti.
2. Stasera vado .... cena .... i miei amici.
3. Ho molta fiducia .... mio medico.
4. Ho prestato la macchina .... mia sorella.
5. Contiamo molto .... vostro aiuto.
6. Fausto vuole comprare un regalo .... sua moglie .... il suo compleanno.
7. Ho ritrovato una vecchia lettera .... le pagine .... un libro.
8. Sandra ha ricevuto una lettera .... suoi figli che studiano .... Londra.
9. Franco ha ricevuto un invito .... cena .... suo capufficio.
10. Elena ha ballato tutta la sera .... Filippo.
11. Maurizio vive .... una grande città .... Nord.
12. Spesso, ... agosto, ... motivi .... lavoro, non vado .... ferie.

Completate con i pronomi relativi:

Al ritorno da un viaggio in Sardegna

Stefano e Pina fanno vedere alcune foto del loro viaggio in Sardegna ai loro amici.

1.

Questo è il ristorante dell'albergo «Su Golonone», ... abbiamo passato una notte e .... abbiamo mangiato una squisita pasta fatta a mano.

2.

Questa è una donna .... abbiamo fotografato davanti a casa sua e .... abbiamo chiesto delle informazioni.

3.

Questo è un pescatore .... abbiamo conosciuto a Sant'Antioco e .... abbiamo fatto molte gite in barca.

4.

Questi sono i cavallini selvatici .... vivono nella Giara di Gesturi, quasi al centro della Sardegna, ... avevo sentito parlare spesso.

5.

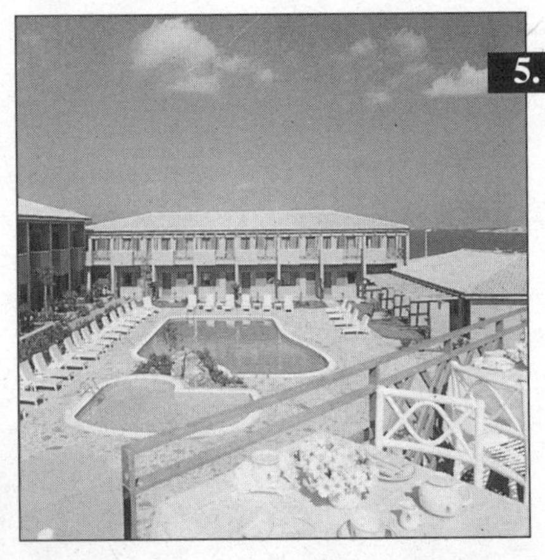

Questa è la terrazza dell'albergo .... ci siamo fermati tre giorni, ... potevamo vedere un mare stupendo.

6.

Questa è la spiaggia ....abbiamo preso tante volte il sole e.................................partivamo per le nostre gite in barca.

Gatto goloso salva famiglia dal sugo avvelenato

Un pensionato voleva uccidere la moglie

BELLUNO. A Borghetto, un piccolo paese vicino a Belluno, è successo uno strano fatto. Un gatto ha mangiato il sugo per la pasta ed è morto all'istante, a causa del veleno che era nel pomodoro.
Quando verso mezzogiorno Carmela Chiurchi, la fortunata padrona del gatto, il figlio e le due nipotine sono tornati per il pranzo, non potevano capire il motivo per il quale il gatto era morto; perciò hanno chiamato i carabinieri. Le analisi di laboratorio hanno rivelato che nel sugo c'era quasi un etto di veleno.
Il povero gattone di campagna ha così salvato la vita di un'intera famiglia.
Ma chi aveva messo il veleno nel sugo? Il marito della signora Carmela: si sentiva solo e abbandonato e ha cercato di uccidere i responsabili della sua solitudine.

Rispondete alle domande:

1. Dove è successo il fatto?
2. Che cosa ha mangiato il gatto?
3. Perché è morto?
4. Perché Carmela Chiurchi ha chiamato i carabinieri?
5. Che cosa hanno rivelato le analisi di laboratorio?
6. Chi aveva messo il veleno nel sugo?
7. Perché?

Utilizzando le risposte alle domande a fianco, completate il racconto:

Il fatto è successo ....
....
....
....
....
....
....
....

Riferite al vostro compagno il contenuto di una delle seguenti notizie.
Il vostro compagno dovrà esprimere la sua disapprovazione.

Da domenica voli a rischio

UOMINI RADAR: dalle 7 alle 14. ASSISTENTI DI VOLO: martedì e mercoledì, domenica 24 e lunedì 25. CIVILAVIA: sabato 23.

Treni, stasera nuova protesta

MANOVRATORI FS: si è concluso alle 6 lo sciopero. La protesta riprenderà stasera alle 21 fino alle 6 di domani. Altro sciopero il 14 dicembre.

Vigili del fuoco fermi sabato

VIGILI DEL FUOCO: in sciopero sabato, dalle 8 alle 14. Possibili disagi negli aeroporti, anche se il Viminale sostiene che tutto sarà regolare.

Per 5 giorni niente benzina

BENZINAI: pompe chiuse dalle 19 di lunedì alle 7 di sabato 23. Sulle autostrade distributori fermi dalle 19 di lunedì alle 19 di martedì.

(Da «La Repubblica», 15 novembre 1991)

  *Ascoltate il testo e assegnate ad ognuno la casa adatta:*

1.

2.

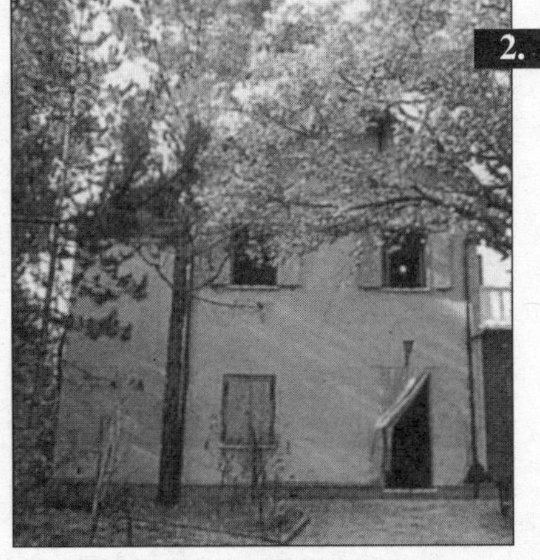

Signor Rossi N. ....

Signor Peruzzi N. ....

A. *Trasformate secondo il modello:*

> Non sono andato al cinema perché avevo mal di testa.
> Non andai al cinema perché avevo mal di testa.

1. Gina non è andata al ristorante perché non aveva fame.
....
2. Non abbiamo preso l'ombrello perché non pioveva.
....
3. Non hanno comprato quella casa perché non avevano i soldi.
....
4. Ho bevuto un bicchiere di birra perché avevo sete.
....
5. Mi ha detto che non poteva venire perché era occupata.
....
6. Ho smesso di fumare perché mi faceva male.
....
7. Giorgio non è venuto con noi perché stava male.
....
8. Abbiamo comprato quel quadro che ci piaceva tanto.
....
9. Gli ho chiesto che cosa faceva.
....
10. Quando siamo arrivati alla stazione, il treno stava partendo.
....
11. Maurizio ha preso le sigarette che erano sul tavolo.
....
12. Sono andato a salutare gli amici che partivano.
....

B. *Trasformate secondo il modello:*

> Carlo non è venuto con noi perché era stanco.
> Quella volta Carlo non venne con noi perché era stanco.

1. Non ho risposto alla sua lettera perché non conoscevo il suo indirizzo.
....
2. Siamo andati a Roma con l'autobus perché non avevamo la macchina.
....
3. Laura non è venuta con noi perché stava male.
....
4. Mi sono fermato a Roma solo un paio di giorni perché dovevo tornare a lavorare.
....
5. Enzo ha scritto una lettera a Mario perché aveva bisogno del suo aiuto.
....
6. Ho cambiato casa perché ne volevo una più grande.
....

C. *Trasformate secondo il modello:*

> Ieri sera ero stanco, perciò non sono uscito.
> Quella sera ero stanco, perciò non uscii.

1. Ieri sera avevamo molto da fare, perciò siamo tornati a casa tardi.
2. Ieri sera Stefano doveva finire un lavoro, perciò è rimasto in ufficio fino a tardi.
3. Ieri sera avevo molto sonno, perciò mi sono addormentato presto.
4. Ieri sera non avevamo voglia di cucinare, perciò abbiamo mangiato al ristorante.
5. Ieri sera i ragazzi avevano la febbre alta, perciò ho chiamato il medico.
6. Ieri sera Ugo e Ivo non avevano voglia di stare a casa, perciò sono andati al cinema.
7. Ieri mattina dovevo cambiare un assegno, perciò sono andata in banca.
8. Ieri mattina ero molto stanca, perciò mi sono alzata tardi.
9. Ieri mattina Ada aveva la macchina dal meccanico, perciò ha preso l'autobus.
10. Ieri mattina dormivamo profondamente, perciò non abbiamo sentito la sveglia.
11. Ieri mattina i ragazzi avevano l'influenza, perciò sono restati a casa.
12. Ieri mattina sentivo molto freddo, perciò ho acceso il termosifone.

D. *Trasformate secondo il modello:*

> Non sono andato al cinema, perché avevo già visto il film.
> Non andai al cinema, perché avevo già visto il film.

1. Non ho risposto alla tua lettera, perché avevo perso l'indirizzo.
2. Non ho salutato Antonio, perché non l'avevo riconosciuto.
3. Abbiamo trovato un posto in prima fila al concerto, perché avevamo prenotato.
4. Sandro mi è venuto a trovare, perché aveva saputo che stavo male.
5. Marcella ha dovuto pagare una multa, perché aveva lasciato la patente a casa.
6. Sono andata dal medico perché la mattina mi ero sentita male.

E. *Completate con i verbi indicati fra parentesi:*

Tra i due litiganti il terzo gode

Un orso e un leone litigavano fra di loro per un pezzo di carne.
«L'ho visto prima io!» (esclamare) .... l'orso.
«Ma io l'ho preso!» (replicare) .... il leone.
«Allora dividiamolo a metà!».
«No, perché è tutto mio!».
Dalle parole i due (passare) .... ai fatti e (cominciare) .... a picchiarsi come due disperati. (Lottare) .... a lungo, (stancarsi) .... e alla fine (dovere) .... distendersi un poco per riposare.
Così distesi, (addormentarsi) ....
Intanto il pezzo di carne era rimasto per terra: una volpe (uscire) .... dal bosco, (prendere) .... il pezzo di carne e lo (mangiare) .... con tutto il suo comodo.

(Adatt. da Giuseppe Fanciulli, *Ti racconterò*)

Monumenti italiani

Il Duomo di Milano

Il Duomo di Milano è la più grande cattedrale gotica esistente e, dopo San Pietro a Roma, la chiesa cattolica più grande del mondo: può contenere infatti fino a 40.000 fedeli. La costruzione ebbe inizio nel 1386 e solo nel 1813 si concluse la facciata; i lavori all'esterno continuarono per tutto il XIX secolo e parte del nostro.

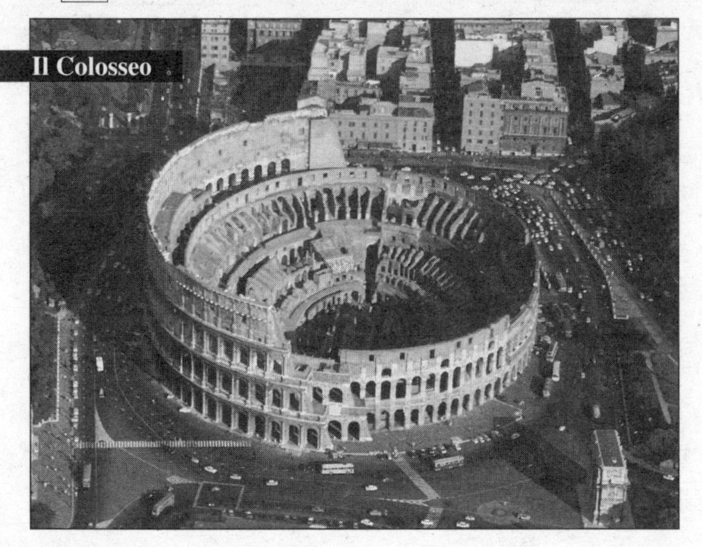
Il Colosseo

Vespasiano iniziò nel 72 d.C. la costruzione di questo anfiteatro; nell'80 Tito lo inaugurò con festeggiamenti che durarono cento giorni.
Nel Colosseo, che poteva contenere 50.000 spettatori, si svolsero combattimenti di gladiatori e cacce di bestie feroci.
Nel 1749 Papa Benedetto XIV lo dichiarò sacro in ricordo dei martiri cristiani e iniziò l'opera di restauro del magnifico monumento.

Il Pantheon è il tempio meglio conservato di Roma; è di dimensioni grandiose: è alto più di 43 metri e i muri hanno uno spessore di circa 6 metri. Lo fece costruire Marco Vipsanio Agrippa nel 27 a.C. e nel 125 d.C., dopo un incendio, l'imperatore Adriano lo fece restaurare.
Oggi al suo interno si trovano le tombe di alcuni artisti famosi, tra cui quella di Raffaello.

Il Pantheon

San Pietro

La basilica di San Pietro è la più grande chiesa cattolica del mondo; si trova nella Città del Vaticano e rappresenta il centro spirituale degli oltre 900 milioni di cattolici sparsi in tutto il mondo.
La costruzione della basilica iniziò nel 1506 e terminò nel 1626. Michelangelo progettò la cupola e fu autore della «Pietà», la famosa scultura che si trova all'interno della chiesa.

Completate:

1. Il Duomo di Milano
1386: iniziò la costruzione del Duomo.
1813: ....
XIX-XX secolo: ....

2. Il Colosseo
72 d.C.: ....
80 d.C.: ....
1749: ....

3. Il Pantheon
27 a.C.: ....
125 d.C.: ....

4. San Pietro
1506: ....
1626: ....

Umbria jazz

A Perugia, a metà luglio, si svolge uno dei più importanti festival di jazz in Europa.
La prima manifestazione si svolse nel 1971 e da allora, ogni estate, i più celebri musicisti del settore partecipano a questo interessante incontro musicale.
Nel centro storico di Perugia e in altre città umbre si svolgono circa un centinaio di concerti. Inutile dire che un numero grandissimo di giovani appassionati di jazz vengono in Umbria da tutto il mondo.

Rispondete:

Che cosa è «Umbria jazz»?

George Benson a Umbria jazz.

F. *Completate con i nomi alterati indicati sotto:*

1. È meglio prendere la strada più lunga: questa è più corta ma è una ....
2. Sono molto stanco: dopo pranzo vado a farmi un ....
3. Marta vive in un .... vicino a quello dei suoi genitori.
4. Mi devo assolutamente riposare: oggi in ufficio è stata una ....
5. Paola ha fatto un dolce: dalla cucina arriva un .... delizioso.
6. Quella .... non è sufficiente ad illuminare la stanza.
7. Non uscire con loro: lo sai che sono dei ....
8. Mia zia si lamenta in continuazione: ha sempre qualche .... nuovo.
9. Giorgio è quell' .... alto e grosso laggiù, davanti al bar.
10. Dai, usciamo, smetti di studiare: andiamo a fare un ....
11. Gianna lavora tutto il giorno e poi quando torna a casa deve pensare ai bambini e cucinare: fa proprio una ....
12. .... mia, ti voglio tanto bene!

riposino	appartamentino	vitaccia	mammina
omone	stradaccia	profumino	finestrina
ragazzacci	giornataccia	giretto	doloretto

G. *Completate con le preposizioni:*

1. Stamattina Mario è andato .... mercato .... fare la spesa.
2. .... vent'anni, mio nonno emigrò .... New York, ... Stati Uniti.
3. ....le canzoni .... Lucio Dalla mi piace molto «Futura».
4. Stavo guardando un film .... TV quando ....' improvviso è andata via la luce.
5. Mi sono alzato .... poltrona e sono andato .... rispondere .... telefono.
6. Appena siamo arrivati .... Firenze, siamo andati .... ostello .... gioventù.
7. Ada viveva .... una stanza .... due letti.
8. Ho messo un vaso .... fiori .... davanzale .... finestra.
9. Giorgio ha viaggiato .... Italia e ....' estero .... motivi .... lavoro.
10. Prima .... partire, Stella è venuta .... salutarmi .... suo marito.
11. Ho ascoltato la canzone .... Lucio Dalla «Attenti .... lupo».
12. Antonio Vivaldi nacque .... Venezia .... 1678 e morì .... Vienna .... 1741.

H. *Completate con le preposizioni:*

Daniela si è laureata

Ieri sera Teresa è andata .... i suoi genitori .... cena .... signori Marchetti; hanno festeggiato Daniela, la figlia, che ha studiato .... Università .... Roma e ha preso la laurea .... architettura dieci giorni fa.
.... cena Teresa ha incontrato un sacco .... vecchi amici: Pietro lavora .... un anno .... Milano .... una fabbrica di tessuti; Franco ha sposato tre anni fa una

ragazza austriaca e viene .... Italia solo .... estate .... le vacanze; Gianna infine non abita più .... casa .... suoi genitori, ma è andata .... vivere .... sola .... un appartamentino vicino .... centro.
La festa è stata molto carina; tutti hanno parlato .... lungo, ma hanno anche mangiato e bevuto troppo.
Così Teresa stamattina è stanca; mezz'ora fa è suonata la sveglia, ma lei è ancora .... letto .... gli occhi chiusi. Solo quando pensa .... laurea .... Daniela, decide .... scendere .... letto, ... fare colazione e .... andare .... Università; ha lezione .... 10 .... 12 e non può mancare: ha ancora due esami prima .... laurea.

I. *Completate con le parole «problema», «programma», «panorama», «poeta»:*

1. Augusto ha molti .... da risolvere.
2. Dalla mia finestra vedo uno splendido ....
3. Abbiamo fatto molti .... per le prossime vacanze.
4. Che splendido ....! Mi va proprio di andare al lago.
5. Ho il grande .... di trovare una casa carina ed economica.
6. Ho letto le poesie di alcuni .... italiani del '900.

L. *Volgete al plurale:*

1. Eugenio Scalfari è un giornalista italiano molto famoso.
   Eugenio Scalfari e Alberto Ronchey ....
2. Lui è un automobilista molto prudente.
   Loro ....
3. Lei è una turista molto curiosa.
   Loro ....
4. Tu sei una pianista molto brava.
   Voi ....
5. Lui è un artista molto originale.
   Loro ....
6. Tu sei un tennista molto bravo.
   Voi ....

Ascoltate il testo e completate:

Tina non è uscita perché ....
....
....
Riccardo Cocciante ha vinto ....
....
....

Completate lo schema a fianco:

cantante	tema della canzone
Cocciante	
Zero	
Masini	

M. *Completate con il passato remoto:*

Negli anni Cinquanta...

L'Italia (riprendere) .... a vivere dopo la guerra.
Fausto Coppi (vincere) .... il IV giro d'Italia e (diventare) ....
campione del mondo di ciclismo.
L'Italia (motorizzarsi) .... con la Vespa e la Fiat 500.
La televisione (entrare) .... nelle case degli italiani.
Il cardinale Roncalli (divenire) .... papa Giovanni XXIII.

Negli anni Sessanta...

Federico Fellini (girare) .... il film «La dolce vita».
Sophia Loren (vincere) .... l'Oscar, nel '61, con il film «La ciociara».
Roma (ospitare) .... le Olimpiadi.

Negli anni Settanta...

Gustavo Thoeni (essere) .... campione del mondo di sci.
La Ferrari (vincere) .... il campionato del mondo di Formula 1.
Gli italiani (votare) .... per il divorzio.
Gli italiani (votare) .... per l'aborto.

Serena Cruz

Serena Cruz con la madre adottiva e il fratellino Nazario.

Il 13 gennaio, Francesco Giubergia tornò a Racconigi con la bambina [adottata]. Serena Cruz aveva allora venti mesi. A Racconigi, nella loro casa, c'era un altro bambino, Nazario, anche lui filippino.
Serena vide accanto a sé una faccia che un po' le somigliava e che somigliava alle facce che aveva sempre visto. Così le fu più facile capire e accettare il resto. Serena Cruz Giubergia fu il suo nome all'anagrafe. Era una bambina grossa, con una grossa pancia. Aveva occhi grandi, il viso rotondo e i capelli neri. Durante il viaggio la bambina si era affezionata al padre e non voleva stare con la madre. Ma questo durò pochi giorni. Presto la madre divenne per lei il centro dell'universo. Rapidamente imparò l'italiano.

(Adatt. da Natalia Ginzburg, *Serena Cruz o la vera giustizia*, Einaudi 1990)

Rispondete alle domande:

1. In quale mese Francesco Giubergia tornò a casa con la bambina?
2. Chi c'era nella loro casa?
3. Da dove venivano i due bambini?
4. Come era Serena?
5. A chi si era affezionata Serena durante il viaggio?
6. Come furono all'inizio i suoi rapporti con la madre?
7. Che cosa divenne in seguito la madre per lei?

Utilizzando le risposte alle domande precedenti, completate il racconto:

Francesco Giubergia tornò a casa ....
....
....
....

test 3

Vecchietta picchia i parenti per non andare all'ospizio

Con l'ombrello che teneva nascosto sotto il letto ha colpito figlia, genero e nipote. Andrà in vacanza con la famiglia.

Ferragosto è l'occasione giusta per lasciare alle spalle i problemi di tutti i giorni. Così doveva essere anche per una famiglia di Martinsicuro, in provincia di Teramo.
La signora Rita, il marito Livio e la figlia sedicenne Vittoria avevano deciso di passare qualche giorno al mare sul Gargano, ma dovevano prima risolvere il problema della nonna di 86 anni. Hanno pensato a lungo, hanno parlato fra di loro e alla fine hanno scelto la soluzione dell'anno scorso: «parcheggiare» la vecchietta per una settimana in un istituto per anziani. Ma la nonna di Martinsicuro, quando ha capito le intenzioni dei suoi parenti, ha cominciato a dire che stava male, molto male. I familiari, preoccupati, hanno chiamato subito il medico, che li ha rassicurati: l'anziana signora non aveva nessun problema di salute. A questo punto la vecchietta ha preso l'ombrello che teneva nascosto sotto il letto, e ha colpito la figlia, il genero e la nipote.
Soltanto i carabinieri sono riusciti a riportare la pace in famiglia: la nonna ha vinto, andrà in vacanza sul Gargano con il resto della famiglia.

(Adatt. da «Il Messaggero», 13 agosto 1990)

A. *Indicate la frase corretta relativa al testo letto:*

1. Il fatto avviene
a) prima del mese di agosto
b) alla metà di agosto
c) alla fine di agosto
d) in autunno

2. Una famiglia di Martinsicuro voleva
a) cambiare casa
b) passare qualche giorno a Teramo
c) comprare una casa sul Gargano
d) andare in vacanza

3. La famiglia voleva
a) lasciare la nonna in un istituto
b) lasciare la nonna a casa
c) portare anche la nonna al mare
d) lasciare la nonna al mare

4. La nonna voleva
a) andare subito all'istituto
b) rimanere a casa
c) partire con i familiari
d) andare all'ospedale

5. Secondo il medico, la vecchietta
a) stava bene
b) stava male
c) aveva qualche problema di salute
d) aveva l'influenza

6. La vecchietta
a) ha chiamato i carabinieri
b) ha picchiato i familiari
c) ha telefonato all'istituto
d) ha colpito il medico con l'ombrello

7. La nonna
a) andrà in vacanza da sola
b) resterà a Martinsicuro
c) andrà qualche giorno in un istituto
d) partirà per il mare con la famiglia

B. *Completate lo schema:*

Protagonisti della vicenda: ....
Luogo: ....
Fatto: ....
Motivo: ....
Conclusione: ....

C. *Completate con i verbi indicati fra parentesi:*

Rita racconta:
«Stamattina, mentre io e mio marito (fare) .... colazione e (parlare) .... delle prossime vacanze di Ferragosto, mia madre ci (chiamare) .... dalla sua camera. (Noi-alzarsi) .... da tavola e (andare) .... subito da lei. Quando (noi-entrare) .... in camera sua, mia madre (essere) .... a letto e (lamentarsi) .... (Noi-spaventarsi) .... molto e (chiamare) .... subito il medico».

D. *Completate con l'imperativo:*

1. Il medico parla con la signora Rita e le dice:

«...!» (di non preoccuparsi)
«...!» (di stare tranquilla)
«...!» (di andare pure in vacanza)

2. La signora Rita parla con la figlia Vittoria e le dice:

«...!» (di andare in farmacia)
«...!» (di comprare le medicine per la nonna)
«...!» (di prendere anche l'aspirina)
«...!» (di non dimenticarsi)

E. *Date a Rita e Livio il consiglio di:*

1. – portare anche la nonna al mare sul Gargano
2. – non lasciarla sola
3. – telefonare subito all'albergo e prenotare un'altra camera

F. *Completate con i pronomi:*

1. Hai telefonato al medico? Sì, ... ho telefonato.
2. Chi ha chiamato i carabinieri? .... ha chiamat....... un vicino.
3. Hai dato le medicine alla nonna? No, non .... ho ancora dat....... .
4. Hai preparato le valigie? Sì, ... ho preparat....... .
5. Alla nonna piacerà il mare? Certo, ... piacerà molto.

G. *Completate con le preposizioni:*

Quest'anno andranno finalmente tutti .... vacanza .... mare, anche la nonna .... 86 anni. Partiranno .... una settimana e passeranno qualche giorno .... un albergo vicino .... spiaggia. Dopo Ferragosto torneranno .... Teramo: Rita e Livio ricominceranno .... lavorare, Vittoria resterà .... casa .... la nonna.

  *Ascoltate il testo e completate:*

Le vacanze sono andate bene.
Rita si è riposata, ... e ....
Livio ....
Vittoria ha preso il sole, ... e ....
La nonna ha fatto qualche passeggiata e ....

 *Immaginate una conclusione diversa della vicenda.*

 *Descrivete la foto.*

Unità 16

A. *Trasformate secondo il modello:*

> Marta balla molto bene.
> Credo che Marta balli molto bene.

1. Gianni telefona ai suoi ogni sera.
Credo che Gianni telefoni ai suoi ogni sera
2. I bambini mangiano troppi dolci.
Creto che i bambini mangino
3. Tu leggi pochi libri.
Credo che tu legga - - -
4. Voi dormite poco.
Credo che voi dormiate poco
5. Marta non capisce questo problema.
Creto che Marta non capisca questo problema
6. Vittorio parte per Parigi.
Creto che Vittorio parta per Parigi

B. *Trasformate secondo il modello:*

> Sono certo che Chiara parla bene il tedesco.
> Non sono certo che Chiara parli bene il tedesco.

1. Sono certo che tu leggi il giornale ogni giorno.
Non sono certo che tu legga
2. Sono certo che voi capite tutto quello che dico.
Non voi capiate
3. Sono certo che Giulia ha ragione.
ha ragioni
4. Sono certo che i ragazzi sono al bar.
Non i ragazzi essano al bar
5. Sono certo che tu dici la verità.
....
6. Sono certo che i tuoi amici parlano bene l'italiano.
parlino

C. *Rispondete secondo il modello:*

> Che fa Paolo? Studia?
> Sì, penso che studi.

1. Che fa Daniele? Lavora?
Sì, penso che lavori
2. Che fa Giovanni? Legge?
Sì, penso che legga
3. Che fa Alberto? Mangia?
Mangi
4. Che fa Antonio? Dorme?
Dorma
5. Che fa Maria? Parte?
....
6. Che fa Benedetta? Riposa?
....

D. *Trasformate secondo il modello:*

> Devi venire con me.
> Bisogna che tu venga con me.

1. Devi andare al lavoro subito.
2. Devi dire la verità.
3. Devi stare attento.
4. Dovete uscire subito.
5. Dovete fare gli esercizi.
6. Devi fare un po' di sport.
7. Devi svegliarti prima la mattina.
8. Dovete andare dal medico.
9. Dovete vestirvi in modo elegante.
10. Devi spedire subito la lettera.
11. Dovete finire subito il lavoro.
12. Devi essere gentile.

E. *Rispondete secondo il modello:*

> Mi telefoni stasera?
> Vuoi veramente che ti telefoni?

1. Mi dici la verità?
2. Mi spedisci un regalo?
3. Mi inviti a cena?
4. Mi presti centomila lire?
5. Mi accompagni a casa?
6. Mi dai una mano?

F. *Trasformate secondo il modello:*

> Forse c'è lo sciopero degli autobus.
> Credo che ci sia lo sciopero degli autobus.

1. Forse Giorgio ha ragione.
2. Forse i nostri amici sono già partiti.
3. Forse c'è un bel film alla TV.
4. Forse la macchina di Fausto si è rotta.
5. Forse i miei amici rimangono ancora un po'.
6. Forse Sergio non sta bene.
7. Forse Giuseppina si è addormentata molto tardi.
8. Forse i ragazzi hanno alzato un po' il gomito ieri sera.

G. *Rispondete secondo il modello:*

> Non so dov'è Pietro: sarà a casa?
> Sì, penso che sia a casa.

1. Non so perché Pietro non risponde al telefono: sarà uscito?
2. Non so chi ha preso la macchina: l'avrà presa Marta?
3. Non so perché il treno non parte: ci sarà uno sciopero?
4. Non so perché Benedetta è così pallida: starà male?
5. Non so perché i bambini non hanno fame: avranno già mangiato?
6. Non so che ore sono: saranno già le otto?
7. Non so perché Rita non è venuta: si sarà dimenticata?
8. Non so chi ha detto questa cosa: l'avrà detta Roberto?

H. *Rispondete secondo il modello:*

> Il bambino ha paura?
> Non penso proprio che abbia paura.

1. Simone è malato?
2. Gianni dice la verità?
3. I ragazzi possono parlare di questo problema con noi?
4. Andrea deve studiare stasera?
5. Giulio vuole studiare il cinese?
6. I bambini escono da soli?

I. *Trasformate secondo il modello:*

> Secondo te, il giornale è arrivato?
> Credi che il giornale sia arrivato?

1. Secondo te, i signori Rossi sono usciti?
2. Secondo te, Dino è partito?
3. Secondo te, i bambini hanno mangiato?
4. Secondo te, Pia si è laureata?
5. Secondo te, ha piovuto stanotte?
6. Secondo te, Gianni è tornato?

L. *Rispondete secondo il modello:*

> È buono o cattivo?
> Speriamo che sia buono!

1. È veloce o lento?
....
2. È maschio o femmina?
....
3. È ottimista o pessimista?
....
4. Ha ragione o ha torto?
....
5. Ha molti amici o pochi amici?
....
6. È ricco o povero?
....

M. *Completate secondo il modello:*

> Che bello! Finalmente parto!
> Sono contento che tu parta.

1. Che bello! Finalmente vado in vacanza!
....
2. Che bello! Finalmente ho superato l'esame!
....
3. Che bello! Finalmente ho vinto al totocalcio!
....
4. Che bello! Finalmente mi sento molto meglio!
....
5. Che bello! Finalmente mi rilasso un po'!
....
6. Che bello! Finalmente posso fare questo viaggio!
....

N. *Completate secondo il modello:*

> Davvero!? Marta si è iscritta a medicina?
> È incredibile che lei si sia iscritta a medicina!

1. Davvero!? Marta ha trovato un buon lavoro?
....
2. Davvero!? Marta è partita con Giorgio?
....
3. Davvero!? Marta è diventata ricca?
....
4. Davvero!? Marta si è innamorata?
....
5. Davvero!? Marta si è pentita di quello che ha fatto?
....
6. Davvero!? Marta ha finito tutti i soldi?
....

O. *Completate:*

1. Può darsi che ieri sera Francesco (arrivare) .... tardi alla stazione e che (perdere) .... il treno per Monaco.
2. È possibile che i ragazzi (mangiare) .... alla mensa e

che (tornare) .... già a casa.

3. Ci dispiace molto che l'estate scorsa tu non (rimanere) .... di più a casa nostra.
4. Abbiamo paura che ieri mattina Ruggero non (riuscire) .... a prendere la coincidenza per Parigi.
5. Ho paura che ormai (essere) .... troppo tardi per fare qualcosa.
6. Bisogna che la gente (abituarsi) .... a mettere la carta negli appositi raccoglitori.
7. Federico non vede l'ora che (venire) .... l'estate e che i bambini (potere) .... giocare all'aria aperta.
8. Il professore vuole che voi (fare) .... l'esercizio per domani e che glielo (portare) .... a lezione.
9. È tempo che la gente (fare) .... qualcosa di concreto per salvare la natura.
10. Ho paura che i nostri amici non (capire) .... l'ora dell'appuntamento o che (dimenticarsene) ....
11. È probabile che la prossima estate Massimiliano (andare) .... in vacanza con Beatrice e che ci (stare) .... per più di due settimane.
12. Speriamo che Hildegard (capire) .... quando le hai parlato in italiano.

P. *Rispondete:*

1. Prima della partenza per le vacanze.

Quando parti?	Penso ....
Dove vai?	Credo ....
Quanto ti fermi?	Penso ....
Il tuo amico viene con te?	Credo ....

2. Prima di un esame.

Hai studiato abbastanza?	....
Supererai l'esame?	....
Il tuo compagno ha studiato abbastanza?	....
Supererà l'esame?	....

3. Prima di una festa.

Incontrerai molta gente che conosci?	....
Ci saranno molte cose da mangiare?	....
Verranno i tuoi amici?	....
Tornerete tardi?	....

4. Dopo una festa.

Il tuo amico si è divertito?	....
Ha bevuto molto?	....
È andato via tardi?	....
Oggi è arrivato in orario a lezione?	....

5. Dopo la prima lezione di italiano.

La tua compagna di banco è simpatica?	....
Di che nazionalità è?	....

Quanti anni ha? ....
Quando è arrivata in Italia? ....

6. Dopo la partenza di un amico.
Si è trovato bene in Italia? ....
Ha fatto nuove amicizie? ....
Ha migliorato il suo italiano? ....
Andrai a trovarlo? ....
Quando e con chi ci andrai? ....

Q. *Completate con il congiuntivo:*

1. Domani un tuo amico ha un esame.
Spero ....
Ho paura ....
Credo ....
È probabile ....

2. I tuoi genitori hanno finalmente deciso di fare un viaggio.
Non vedo l'ora ....
È un peccato ....
È tempo ....
Mi auguro ....
Penso ....

3. Ada va a Monaco per studiare il tedesco.
È bene ....
È possibile ....
Può darsi ....
Sono davvero felice ....

4. Un tuo amico è molto depresso.
Mi sembra ....
Desidero ....
Temo ....

5. Una tua amica si è iscritta alla Lega per l'Ambiente.
Mi pare ....
Voglio ....
Mi auguro ....

R. *Completate:*

1. Ho deciso di mettermi a studiare a patto che Mauro mi (aiutare) ....
2. Ugo e Gino vogliono telefonare ai loro genitori prima che (cominciare) .... a preoccuparsi.
3. Luciana telefonerà a Federico perché la (accompagnare) .... alla stazione.

4. Vado fuori con gli amici benché (dovere) .... studiare per l'esame.
5. Vincenzo vuole guidare la macchina fino a casa nonostante che (bere) .... troppo.
6. Dobbiamo fare qualcosa per salvare la natura prima che (essere) .... tardi.
7. Possiamo parlare di questo problema purché lo (fare) .... a quattr'occhi.
8. Il professore scrive alla lavagna tutte le parole perché gli studenti (capire) .... bene.
9. Filippo proverà a dare l'esame nonostante che non (studiare) .... abbastanza.
10 Oggi stesso darò i soldi a Marina affinché (potere) .... comprare i libri e (pagare) .... subito le tasse.
11. Enrico verrà volentieri alla festa purché non ci (essere) .... troppa gente.
12. Benché Gabriella non ci (fare) .... niente di male, non ci è simpatica.

S. *Completate con le congiunzioni «prima che», «sebbene», «perché», «purché»:*

1. Andrea verrà con noi .... gli facciamo guidare la macchina.
2. Mi ha telefonato .... avverta gli studenti che domani non c'è lezione.
3. Preparerò il pranzo .... Antonio torni dal lavoro.
4. Canterò volentieri una canzone .... tu mi accompagni al piano.
5. Mando i soldi a Mariella .... possa comprare i libri per l'Università.
6. Vengo a trovarti stasera .... non guardiamo la TV.
7. .... Valentina abbia parlato lentamente, non sono riuscita a capirla.
8. Ti dico questo segreto .... tu non lo racconti a nessuno.
9. Partirò .... faccia giorno.
10. .... abbia molto da studiare, vado al cinema.
11. Verremo da te .... siamo molto occupati.
12. Ti presto volentieri questo libro .... tu me lo renda presto.

T. *Completate:*

1. Voglio salutare il professore prima che ....
2. Voglio salutare il professore prima di ....
3. Facciamo qualcosa per la natura prima che ....
4. Giorgia va dal dottore prima di ....
5. Andiamo subito a dormire benché ....
6. Faccio una bella nuotata sebbene ....
7. Il mio lavoro mi piace molto benché ....
8. Verrò a studiare a casa tua affinché ....
9. Verrò a studiare a casa tua per ....
10. Ti racconto questa storia dall'«a» alla «zeta» perché ....
11. Troverete facilmente un appartamento purché ....
12. Restiamo volentieri a casa a condizione che ....

Rispetta l'ambiente!

SACCHETTO DI PLASTICA - **BIODEGRADABILE** - NON SOGGETTO AD IMPOSTA DI FABBRICAZIONE - LEGGE 9 NOVEMBRE1988 N. 475 - **CONTIENE IL 14 % DI ECOSTAR** - ANALISI ESEGUITA DALL'UNIVERSITA' DI ROMA «LA SAPIENZA» FACOLTA' di FARMACIA - ISTITUTO DI MICROBIOLOGIA - CERT. N. 37 DEL 19-10-89 - PRODOTTO DALLA **DITTA RUTER s.p.a.** TREIA (MC) - **GIUGNO 1990**.

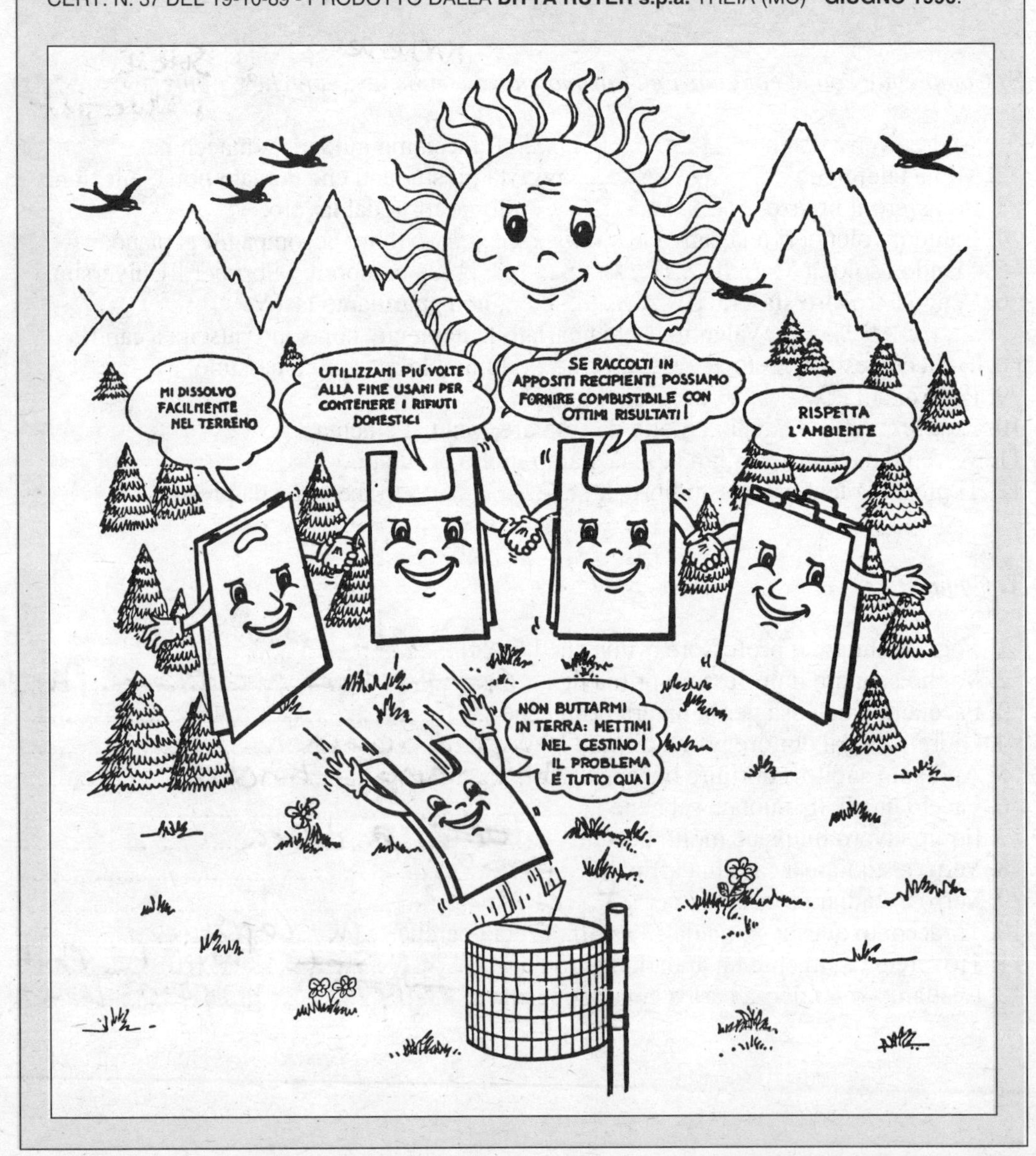

Completate:

Questi sacchetti di plastica si .... facilmente nel terreno e, se .... in appositi recipienti, possono fornire .... con ottimi risultati.
Bisogna utilizzarli .... volte e alla fine usarli .... contenere i rifiuti domestici. Non .... buttarli per terra, ma metterli .... cestino. Bisogna rispettare l'ambiente!

● ● ● ● ● ● ● ● ● ● ● ● ● ● ●

U. *Completate con le preposizioni:*

1. I signori Bianchi pensano .... partire .... due settimane.
2. Prima .... tornare .... casa, devo andare .... dentista.
3. Carla si è innamorata .... un suo collega .... lavoro.
4. Sono arrivato .... ritardo .... stazione e ho perso la coincidenza .... Milano.
5. Dobbiamo buttare la carta .... raccoglitori gialli.
6. Franz non vede l'ora .... partire .... Berlino.
7. Ho deciso .... smettere .... fumare.
8. Dobbiamo fare qualcosa .... salvare la natura.
9. Voglio parlare .... te .... quattr'occhi.
10. Non posso uscire .... voi: ho .... fare tutto il giorno.
11. Marco sta studiando .... camera sua .... Eugenio.
12. I ragazzi possono parlare .... loro problema .... noi.

● ● ● ● ● ● ● ● ● ● ● ● ● ● ●

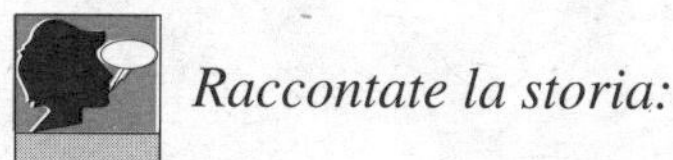

Raccontate la storia:

Il «lavoro» di Alfredo

→

Esprimete la vostra opinione sul comportamento di Alfredo e sul suo «lavoro».

Ascoltate il testo e collegate il nome di ciascun ragazzo con i problemi da lui riferiti:

	smog
Ferdinando	**inefficienza dei servizi pubblici**
	difficoltà di fare sport
Laura	**atti di violenza per le strade**
	i genitori che non permettono di uscire
Giordano	**difficoltà di collegamento tra periferia e centro**
	mancanza di fatti concreti per il futuro

V. *Completate con le preposizioni:*

La goletta verde

La Lega per l'Ambiente e il settimanale l'Espresso hanno organizzato una nuova edizione della «Goletta Verde»: due navi analizzeranno le acque di tutte le spiagge italiane e di alcune spiagge francesi. La «Anoelle» e la «Helios Re» partiranno .... Napoli il 25 giugno e navigheranno .... Mediterraneo .... due mesi. La «Anoelle» andrà .... Roma, poi .... Sardegna, dove farà il giro .... isola; quindi andrà .... Corsica, ... Costa Azzurra, scenderà lungo le coste .... Liguria, ... Toscana, ... Lazio e concluderà il suo viaggio .... Roma.

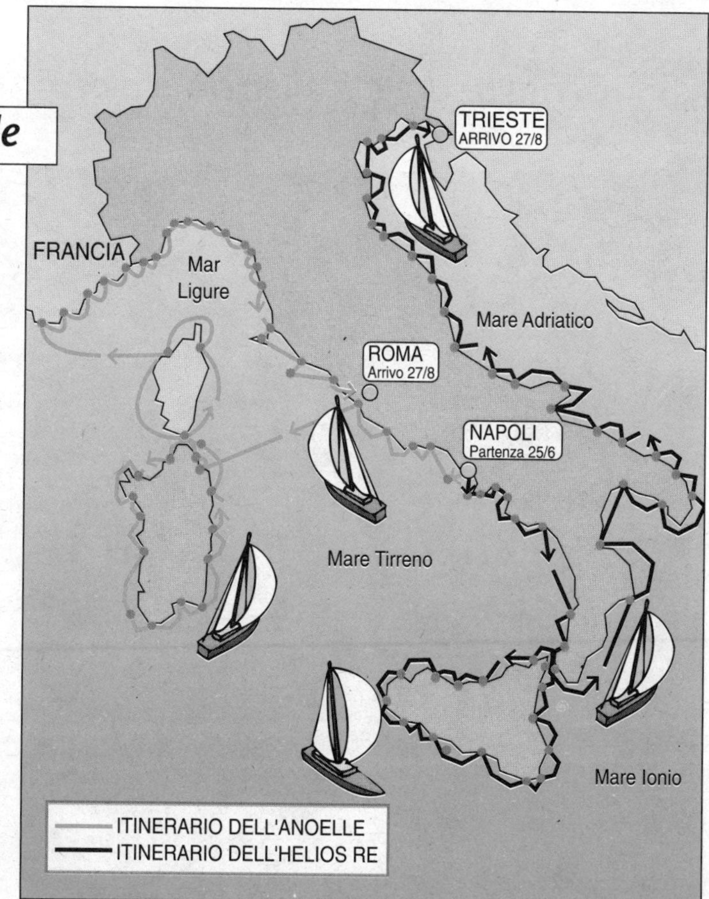

La «Helios Re» toccherà le spiagge .... Campania............. Calabria, ... Sicilia, ... Puglia, ... Abruzzo, ... Marche, ... Emilia Romagna, ... Veneto e .... Friuli e concluderà il suo viaggio .... Trieste.

Genova, dove il silenzio è d'oro

Automobili, camion, mezzi pubblici che percorrono in lungo e in largo la città. Sulle strade di periferia, centinaia di TIR diretti verso le industrie. Auto e treni che corrono veloci sull'autostrada e lungo la ferrovia, a un passo da molte finestre. Questo è lo scenario quotidiano di Genova, il capoluogo più rumoroso d'Italia.
«Almeno d'estate vorrei tenere le finestre aperte per far entrare un po' d'aria, ma è impossibile. Sembra quasi d'avere un'auto accesa in camera da letto», si lamenta una signora che abita nella trafficatissima via Caffaro.
Anche i negozi che si affacciano sulle vie del centro non hanno un attimo di tranquillità. «Nel mio negozio non è proprio possibile parlare con i clienti se la porta sulla strada è aperta, a meno che non ci mettiamo a gridare», dice un commerciante del centro.
Anche i vigili urbani si lamentano, perché il rumore è davvero insopportabile, soprattutto nelle ore di punta.
E l'amministrazione comunale? Ha chiuso al traffico alcune vie del centro e adesso pensa di chiudere alcune vie della periferia e chiede ai cittadini di usare i mezzi pubblici.

Italia: la mappa dei rumori

Genova	**77.4**
Palermo	**77.3**
Pescara	**77.2**
Bolzano	**76.9**
Roma	**76.4**
Firenze	**76.3**
Milano	**76.1**
Bologna	**75.8**
Napoli	**75.7**
Campobasso	**75.5**
Ancona	**75.1**
Trieste	**75.0**
Venezia	**74.8**
Reggio Calabria	**74.8**
Bari	**74.1**
Trento	**73.5**
Torino	**71.7**
Cagliari	**70.2**
Perugia	**69.6**
Potenza	**65.9**

Le cifre, espresse in decibel, si riferiscono ai livelli di rumore rilevati dal Treno Verde dalle 8 alle 18 nei centri cittadini. Tutte le città esaminate hanno tassi di rumore superiori a quello previsto dalla legge: 65 decibel. (A Venezia, Perugia e Potenza le misurazioni sono state fatte di domenica).

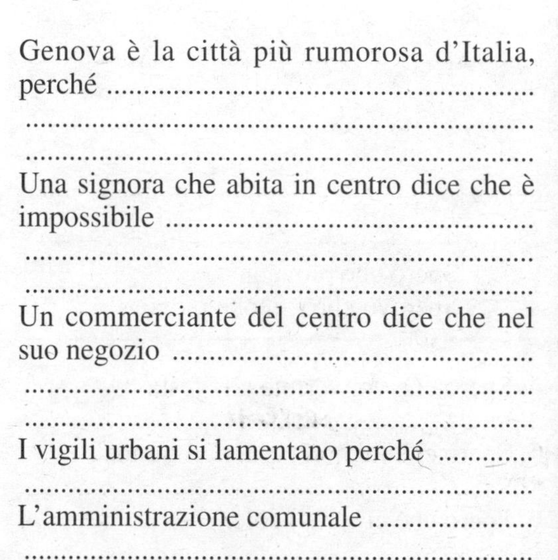

Completate:

Genova è la città più rumorosa d'Italia, perché ....
....
....

Una signora che abita in centro dice che è impossibile ....
....
....

Un commerciante del centro dice che nel suo negozio ....
....
....

I vigili urbani si lamentano perché ....
....

L'amministrazione comunale ....
....

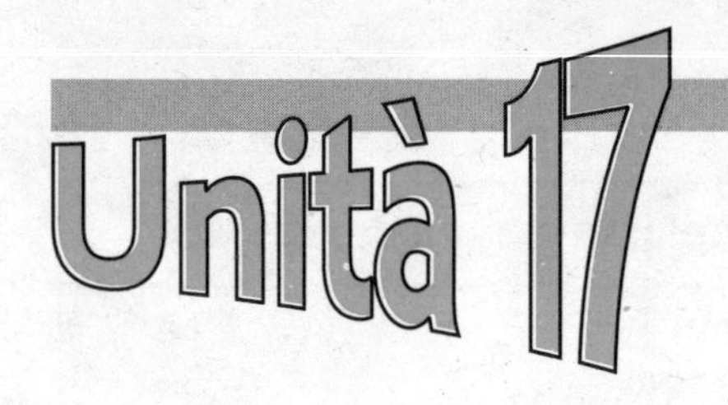

A. *Trasformate secondo il modello:*

> Credo che Gianni parta per Parigi.
> Credevo che Gianni partisse per Parigi.

1. Credo che Rosa stia poco bene.
....
2. Credo che voi capiate bene l'italiano.
....
3. Credo che i bambini vadano all'asilo.
....
4. Credo che tu sia capace di riparare la TV.
....
5. Credo che Gianni venga alle tre.
....
6. Credo che Marta torni presto.
....

B. *Trasformate secondo il modello:*

> Penso che Paolo sia già arrivato.
> Pensavo che Paolo fosse già arrivato.

1. Penso che i bambini abbiano già mangiato.
....
2. Penso che i signori Rossi siano già usciti.
....
3. Penso che Marta abbia già finito tutti i soldi.
....
4. Penso che Maria si sia già vestita per uscire.
....
5. Penso che tu abbia già studiato abbastanza.
....
6. Penso che voi vi siate già riposati.
....

C. *Trasformate secondo il modello:*

> Spero che pioverà.
> Speravo che sarebbe piovuto.

1. Spero che lui tornerà presto.
....
2. Spero che tu mi scriverai subito.
....
3. Spero che lei finirà presto l'Università.
....
4. Spero che voi verrete alla festa.
....
5. Spero che lui non perderà il treno.
....
6. Spero che ci sarà il sole.
....

D. *Completate secondo il modello:*

> Sei italiano?
> Non sapevo che tu fossi italiano!

1. Hai un appartamento in centro?
....
2. Valery conosce già Napoli?
....
3. Bevete molta birra?
....
4. Dai l'esame oggi?
....
5. Mario sta male?
....
6. Parlate francese?
....
7. Capisci bene il russo?
....
8. Ivo e Rita abitano lontano dal centro?
....

E. *Completate secondo il modello:*

> Ugo è in vacanza? (studiare)
> Pensavo che studiasse.

1. Pietro parte? (dare l'esame di matematica)
....
2. Pietro è al lavoro? (essere malato)
....
3. Pietro dorme? (non avere sonno)
pensavo che dormisse non avesse sonno
4. Pietro è fuori? (essere a casa)
....
5. Pietro guarda la TV? (non gli piacere)
....
6. Pietro studia l'inglese? (lo conoscere già bene)
....
7. Pietro vuole conoscere Marta? (la conoscere già)
....
8. Pietro dice le bugie? (dire sempre la verità)
....

F. *Rispondete secondo il modello:*

> Chiara doveva studiare la lezione?
> Sì, bisognava proprio che la studiasse.

1. Giorgio doveva tagliare l'erba in giardino?
....
2. Dovevo apparecchiare la tavola?
....
3. I ragazzi dovevano lavare la macchina?
Sì, bisognava proprio che i ragazzi la lavassero
4. Dovevamo cucinare la carne per il pranzo?
....
5. Dovevo dire quello che pensavo?
....
6. Marta doveva dare l'esame?
....

7. I bambini dovevano fare i compiti?

Sì, bisognava proprio che li facessero.

8. Dovevamo comprare il pane?

....

G. *Rispondete secondo il modello:*

> Perché non mi hai telefonato ieri sera?
> Volevi veramente che ti telefonassi?

1. Perché non sei venuto a trovarmi ieri sera?

Volevi veramente che venessi a trovarti?

2. Perché non mi avete aiutato ieri sera?

....

3. Perché non mi avete detto la verità?

....

4. Perché non sei andato da Carla?

....

5. Perché Mario non mi ha dato una mano?

....

6. Perché Gina non è venuta a cena da noi?

Volevi veramente che ci andassi.

H. *Completate secondo il modello:*

> Giuseppe è partito?
> Non ero d'accordo che partisse.

1. Giorgio ha comprato una macchina nuova?

....

2. I bambini sono usciti da soli?

....

3. Maria è andata a vivere da sola?

....

4. Giorgio ha cambiato casa?

....

5. Giorgio è andato al mare?

....

6. I ragazzi sono usciti in macchina?

che uscessero

I. *Completate secondo il modello:*

> I bambini hanno mangiato?
> La madre aveva paura che non mangiassero.

1. I bambini hanno preso la medicina?

....

2. I bambini hanno studiato?

....

3. I bambini sono tornati presto?

....

4. I bambini hanno obbedito alla baby-sitter?
non le obbedissero
5. I bambini sono andati alla lezione di pianoforte?
non ci andassero
6. I bambini si sono addormentati?
La madre aveva paura che non si addormentassero

L. *Trasformate secondo il modello:*

Desidero che voi veniate.
Desideravo che voi veniste.

1. Penso che gli studenti siano stanchi.
Pensavo che gli studenti fossero stanchi
2. Mi pare che Anna abiti a Milano.
Mi pareva che Anna abitasse a Milano
3. Giorgio non vuole che tu fumi.
Giorgio non voleva che tu fumassi
4. È necessario che tu me lo dica.
Era necessario che tu me lo dicesse.
5. Bisogna che tu dia una mano a Lia.
Bisognava che tu ~~dicessi~~ dessi una mano a Lia.
6. Pino non crede che tu sia offeso.
Pino non credeva che tu fossi offesare.
7. Mi sembra che voi siate stanchi.
Mi sembrava che voi foste stanchi.
8. Immagino che Carlo arrivi presto.

9. Siamo contenti che Marco venga a trovarci.

10. Ho paura che tu non mi ascolti con attenzione.

11. Mi auguro che tu capisca il nostro problema.

12. Mi dispiace che loro stiano male.

M. *Completate secondo il modello:*

Hai già studiato per l'esame?
Non sapevo che tu avessi già studiato.

1. Avete già mandato gli inviti per la festa?

2. Sei già andato a trovare Carla?

3. Isabella si è già iscritta al corso di spagnolo?

4. Marco e Lucia sono già stati a Pisa?

5. Hai già cominciato a fare la dieta?

6. Avete già smesso di fumare?

....

7. Siete già andati in vacanza?

....

8. Ti sei già preparato?

....

N. *Completate secondo il modello:*

Pietro non ha soldi? (guadagnare molto all'estero)
Credevo che avesse guadagnato molto all'estero.

1. Pietro dà l'esame? (non studiare abbastanza)

....

2. Pietro va a Verona? (andarci la settimana passata)

....

3. Pietro va a vedere quel film? (registrarlo l'altra sera)

....

4. Pietro vuole mangiare gli spaghetti? (cominciare una dieta)

....

5. Pietro vuole una sigaretta? (smettere di fumare)

....

6. Pietro torna a vedere quella mostra? (non piacergli)

....

7. Pietro vuole partire? (decidere di rimanere)

....

8. Pietro non tornerà in Italia? (trovarsi bene)

....

O. *Completate secondo il modello:*

Maria parte oggi?
Pensavo che sarebbe partita domani.

1. Maria torna oggi?

....

2. Maria invita gli amici oggi?

....

3. Maria dà una festa oggi?

....

4. Maria e Gianna arrivano oggi?

....

5. Maria e Gianna lavorano oggi?

....

6. Esci con lui oggi?

....

7. Cominci a studiare oggi?

....

8. Partite oggi?

....

P. *Trasformate secondo il modello:*

Desidero che lei mi telefoni.
Vorrei che lei mi telefonasse.

1. Desidero che lui torni.

....

2. Desidero che voi vi divertiate.

....

3. Desidero che Ida mi ascolti.

....

4. Desidero che loro studino di più.

....

5. Desidero che tu veda la mia città.

....

6. Desidero che tu venga a trovarmi.

....

Q. *Rispondete secondo il modello:*

Che cosa vuole Lucia da te? (tradurre un documento)
Vorrebbe che io le traducessi un documento.

1. Che cosa vuole Lucia da te? (accompagnare alla stazione)
....
2. Che cosa vuole Lucia da te? (invitare a cena)
....
3. Che cosa vuole Lucia da te? (prestare dei soldi)
....
4. Che cosa vuole Lucia da te? (andare dal dottore con lei)
....
5. Che cosa vuole Lucia da te? (dare una mano)
....
6. Che cosa vuole Lucia da te? (dare il mio numero di telefono)
....
7. Che cosa vuole Lucia da te? (prestare la mia casa al mare)
....
8. Che cosa vuole Lucia da te? (partire con lei)
....

R. *Rispondete secondo il modello:*

C'è il sole da voi?
Magari ci fosse il sole!

1. Fa bel tempo da voi?
....
2. Il mare è pulito da voi?
....
3. Non c'è traffico da voi?
....
4. Funziona tutto da voi?
....
5. L'aria non è inquinata da voi?
....
6. Le case costano poco da voi?
....

S. *Rispondete secondo il modello:*

Francesco è tornato?
Magari fosse tornato!

1. Tuo padre è guarito?
....
2. I bambini sono stati buoni?
....
3. Maria ti ha scritto?
....
4. Alberto ti ha detto la verità?
....
5. Vi siete divertiti?
....
6. Hai comprato quella casa?
....

T. *Completate:*

1. Preferisco che voi non (fare) .... le ore piccole.
2. Volevo che i nostri figli (andare) .... a letto presto.
3. È meglio che voi (partire) .... subito.

4. Carlo aveva paura che l'esame (essere) .... troppo difficile .
5. È un peccato che tu ieri mattina (passare) .... il tempo in giro per la città e che non (andare) .... a lezione.
6. Penso che (essere) .... meglio che tu (partire) .... oggi e non domani.
7. Mi pare che tuo fratello (essere) .... più studioso di te.
8. Mi dispiace che Maria (vedere) .... già quel film e che stasera non (venire) .... al cinema con noi.
9. Avevamo paura che da un momento all'altro (nevicare) ....
10. Penso che stasera loro (venire) .... alle otto in punto.
11. Non sapevo che tu (tornare) .... il giorno dopo.
12. Vorrei che loro (potere) .... venire con me.

U. *Completate:*

1. Desidero che tu (leggere) .... questo libro.
2. Volevo che mio fratello (leggere) .... quel libro.
3. Vorrei che Piero (leggere) .... questo libro.
4. Vorrei che loro (venire) .... con me.
5. Mi piacerebbe che anche tu (conoscere) .... Lucio.
6. Ho paura che Valeria ieri non (studiare) .... molto.
7. Non voglio che lui (andarsene) ....
8. Non volevamo che loro (andarsene) ....
9. Andrò a fare quattro passi sebbene (piovere) ....
10. Luca ti telefonerà prima che tu (uscire) ....
11. Mi pareva che gli studenti (essere) .... stanchi.
12. Sarebbe necessario che tu (dare) .... l'esame.
13. Tuo padre vuole che tu (dare) .... l'esame.
14. L'ascolterò sebbene (dire) .... sempre cose non vere.
15. È probabile che stasera (venire) .... anch'io al concerto.
16. Ho paura che stanotte (nevicare) ....
17. Verrò a sentire quel cantante benché non mi (piacere) ....
18. Speravamo che lui (arrivare) .... in tempo per la cena.
19. Scriverò a Giorgio perché (sapere) .... la verità.
20. Ho scritto ai tuoi genitori perché (sapere) .... quello che è successo.
21. Ti ascolto a patto che tu (essere) .... sincero.
22. Giorgio mi ha ascoltato a patto che io (essere) .... sincero.

V. *Completate:*

1. Fa bel tempo!
Sono contento che ....
Spero che .... anche domani.
Resterò in casa benché ....
Non immaginavo che oggi ....

2. Giorgio è malato!
Mi dispiace che ....
Spero che ....
Lo vado a trovare affinché ....
Non sapevo che ....

3. Maria non viene al cinema con noi!
Mi dispiace che ....
Mi piacerebbe che ....
Le telefono prima che ....
Pensavo che ....

4. I signori Rossi non hanno trovato una casa!
Non l'hanno trovata sebbene ....
Ho paura che ....
Pensavano che ....
Sperano ....

5. Gli studenti non hanno capito la spiegazione!
Al professore dispiace che ....
Il professore ripeterà perché ....
Il professore pensava che ....
È necessario che ....

6. Marina va a Venezia!
Magari ....
Desideravo ....
Non pensavo che ....
Era ora che ....

Esprimete il vostro stato d'animo sulla vostra attuale situazione per quanto riguarda:

– la casa
– lo studio / il lavoro
– le amicizie
– la famiglia

(*Esempio:* Abito in campagna. Sono contento di vivere lontano dal centro, ma mi dà fastidio prendere ogni giorno la macchina per andare a lavorare.)

Z. *Collegate le frasi secondo l'esempio:*

1. Ho portato la macchina dal meccanico	**a**
2. Sono tornato a casa	
3. Marta ha preparato la cena	
4. Sono andato alla festa di Marta	
5. Gli ho prestato la macchina	
6. Ho mangiato un piatto di spaghetti	
7. Paolo non le ha detto tutta la verità	
8. I miei genitori mi hanno dato la macchina	
9. I signori Rossi sono usciti	
10. La direttrice della biblioteca ha scritto a Sergio	

a) perché la riparasse.
b) nonostante che avessero il figlio malato.
c) perché andassi a prendere mio fratello alla stazione.
d) purché andasse piano.
e) benché avessi già cenato e non avessi fame.
f) sebbene avessi un po' di febbre.
g) prima che i suoi amici arrivassero.
h) perché riportasse il libro che aveva preso in prestito.
i) perché non soffrisse troppo.
l) prima che cominciasse a piovere.

Z_1 *Completate secondo il modello:*

> Vai al mare per il fine-settimana?
> Certo, se tutto (andare) va bene, ci (io-andare) vado.

1. Che tempaccio! Se (continuare) .... a piovere, oggi non (io-uscire) ....
2. Hai una penna?
   Eccola! Se la (tu-volere) ...., te la (io-prestare) ....
3. Lucia, vuoi un passaggio?
   Grazie, se mi (tu-aspettare) .... un attimo, (io-accettare) .... con piacere.
4. Vengo a trovarti sicuramente oggi pomeriggio!
   Bene, se (tu-venire) .... a trovarmi, (io-essere) .... contento.

5. La mia macchina non vuole partire stamattina!
   Se (tu-avere) .... bisogno della macchina, (tu-potere) .... prendere la mia.
6. Vieni a cena con noi stasera?
   Sì, se mi (voi-venire) .... a prendere con la macchina, ci (io-venire) ....

Z$_2$ *Completate secondo il modello:*

> Chissà se Robert torna in Italia?!
> Se (tornare) tornasse, (io-essere) sarei felice.

1. Chissà se Raffaella mi telefona?!
   Se mi (telefonare) ...., le (io-potere) .... dare la bella notizia.
2. Chissà se Nicoletta e Gina supereranno l'esame?!
   Se lo (superare) ...., i loro genitori (essere) .... contenti.
3. Chissà se domani farà bel tempo?!
   Se (fare) .... bel tempo, (noi-andare) .... al mare.
4. Chissà se Barbara mi inviterà al suo matrimonio?!
   Se mi (invitare) ...., ci (io-andare) .... volentieri.
5. Chissà se Riccardo tornerà in tempo per la cena?!
   Se (tornare) ...., Marta (preparare) .... qualcosa di speciale.
6. Chissà se potremo prendere una settimana di ferie?!
   Se (noi potere) .... prenderla, (noi-partire) .... subito per la montagna.

Z$_3$ *Completate secondo il modello:*

> Ormai non sono più giovane!
> Se (io-avere) avessi vent'anni, (io-girare) girerei il mondo.

1. Quella casa è bella, ma costa troppo!
   Se (costare) .... meno, la (io-comprare) ....
2. Oggi non sto bene.
   Se (io-stare) .... bene, (io-andare) .... a fare una passeggiata.
3. Questa casa è mia, non devo pagare l'affitto.
   Se (io-dovere) .... pagare l'affitto, il mio stipendio non (bastare) .... per arrivare alla fine del mese.
4. Ti alzi troppo tardi la mattina.
   Se (tu-alzarsi) .... prima la mattina, non (tu-perdere) .... sempre l'autobus.
5. Fate poco sport.
   Se (voi-fare) .... più sport, (voi-sentirsi) .... meglio.
6. Vai troppo veloce con la macchina.
   Se (tu-andare) .... più piano, non (tu-prendere) .... tante multe!

Z$_4$ *Completate secondo il modello:*

Ho perso tempo dal giornalaio.
Se non (io-perdere) avessi perso tempo dal giornalaio, (io-riuscire) sarei riuscito a prendere il treno.

1. Siamo andati à letto tardi ieri sera.
   Se non (noi-andare) .... a letto tardi ieri sera, stamattina (noi-svegliarsi) .... prima.
2. Non mi hai telefonato ieri sera.
   Se mi (tu-telefonare) .... ieri sera, (io-venire) .... a prenderti alla stazione.
3. I ragazzi non hanno studiato.
   Se (loro-studiare) ...., (loro-superare) .... l'esame.
4. La pizzeria era chiusa ieri sera.
   Se la pizzeria (essere) .... aperta, Andrea (andare) .... a mangiare una pizza.
5. C'era un ingorgo sull'autostrada.
   Se non ci (essere) .... un ingorgo sull'autostrada, (noi-arrivare) .... prima.
6. Stamattina pioveva a dirotto, perciò ho preso l'ombrello.
   Se non (io-prendere) .... l'ombrello, (io-bagnarsi) .... dalla testa ai piedi.

Z$_5$ *Collegate le frasi secondo l'esempio:*

1. Se fossero andati a Roma,	☐	verrò anch'io alla festa.
2. Se non piove,	☐	studierei ancora un po'.
3. Se non avessero paura,	☐	non sarebbe sempre triste.
4. Se non avessi mal di testa,	☐	comprerei una casa al mare.
5. Se ci sarà Livio,	☐	potrei parlare italiano.
6. Se tu me lo avessi chiesto,	☐	andrebbero in aereo.
7. Se fossi ricco,	☐	avrei superato l'esame.
8. Se avessi molti amici italiani,	☐	avrei conosciuto Stefano.
9. Se avessi studiato,	1	si sarebbero divertiti.
10. Se fossi venuto con voi,	☐	esco a fare quattro passi.
11. Se voi studierete,	☐	sarei venuto con te.
12. Se Pino avesse una ragazza,	☐	supererete l'esame.

Z_6 *Completate:*

1. Se avrò tempo, ...
2. Se posso, ...
3. Se domani farà bel tempo, ...
4. Se riesco a finire il programma di matematica, ...
5. Se Giorgio va a Roma, ...
6. Se gli studenti non capiscono, ...

7. Se ...., verremo alla tua festa.
8. Se ...., sarò felicissimo.
9. Se ...., farai arrabbiare tuo padre.
10. Se ...., vi accompagno volentieri all'aeroporto.
11. Se ...., lo compro.
12. Se ...., gli regaliamo un cane per il suo compleanno.

Z_7 *Completate:*

1. Se avessi tempo, ...
2. Se avessi voglia, ...
3. Se Marta fosse ricca, ...
4. Se tornassi indietro, ...
5. Se potessi fare un viaggio, ...
6. Se non fosse troppo tardi, ...

7. Se ...., lo sposerebbe.
8. Se ...., sarebbe meraviglioso.
9. Se ...., non gli darei tanti soldi.
10. Se ...., mi comprerei un cane.
11. Se ...., farebbe un viaggio all'estero.
12. Se ...., vi verremmo a prendere alla stazione.

13. Se hai fame, ...!
14. Se ti senti male, ...!
15. Se è tardi, ...!
16. Se hai freddo, ...!
17. Se hai sonno, ...!
18. Se sei stanco, ...!

19. Se ...., va' a Parigi!
20. Se ...., telefonagli!
21. Se ...., va' dal dentista!
22. Se ...., smettete di lavorare!
23. Se ...., prendi l'ombrello!
24. Se ...., non fare le ore piccole!

Z8 *Completate:*

1. Se avessi portato la macchina in Italia, ...
2. Se lo avessimo saputo prima, ...
3. Se glielo avessi detto subito, ...
4. Se Gianni avesse comprato quella villa, ...
5. Se loro fossero venuti con noi, ...
6. Se avessi potuto scegliere liberamente, ...

7. Se ...., mi sarei divertito.
8. Se ...., si sarebbero svegliati prima.
9. Se ...., sarebbe stato fantastico!
10. Se ...., avrebbe fatto la spesa ieri sera.
11. Se ...., non avrebbero perso il treno.

Z9 *Completate con le preposizioni:*

1. Vado .... mangiare .... ristorante .... i miei amici.
2. Domani partirò .... Londra .... aereo .... mia madre.
3. Tutte le mattine vado .... lezione .... autobus, perché abito lontano .... Università.
4. Devo telefonare .... mia moglie .... mezzogiorno.
5. Ieri sera sono stata .... Roma .... treno e ho fatto tutto il viaggio .... piedi.
6. Studio .... poco tempo la lingua italiana, ma comincio già .... capire e .... parlare un po'.
7. Aspetto una telefonata .... mia fidanzata, che è .... vacanza .... mare.
8. In questo momento vorrei essere .... montagna o .... lago.
9. La mattina, prima .... venire .... lezione, faccio colazione .... casa mia.
10. Domenica vado .... fare una gita .... macchina .... Piero e Lino.
11. Ieri pomeriggio, prima .... tornare .... casa, sono andato .... dottore.
12. Ieri Carlo è uscito .... casa molto presto .... fare una gita .... lago.

● ● ● ● ● ● ● ● ● ● ● ● ● ● ●

Una vita esemplare

Fernanda andò ad intervistare Gioia, una donna di novant'anni che aveva una vita piena e felice alle spalle.

La signora Gioia raccontò:
«Mi sono sposata giovanissima, ho avuto sette figli, sono rimasta vedova a 35 anni, per anni ho lavorato diciotto ore al giorno per mantenere la famiglia, ho trovato ad ogni figlio un lavoro, una casa e li ho aiutati tutti nei primi anni di matrimonio; ho creato una specie di asilo nido per i numerosi nipotini e un giorno li ho salvati da un incendio; ho diretto una comunità di drogati ed ho evitato a molti giovani una brutta fine. E poi, siccome non volevo essere di

peso a nessuno, ho deciso di finire i miei giorni in un ospizio».
Fernanda aveva gli occhi lucidi e la pelle d'oca per l'emozione, poi disse:
«Carissima signora Gioia, la sua vita sembra quella di un santo. Se fosse possibile, Le piacerebbe riviverla?».
L'intervistata perse il sorriso e disse: «Per amor di Dio..., assolutamente no!».

(Adatt. da Gaetano Neri, *Dimenticarsi della nonna*, Marcos y Marcos, Milano 1989)

Rispondete alle domande:

1. Quanti anni ha la signora Gioia?
2. A che età si è sposata?
3. Quanti figli ha avuto?
4. A che età è rimasta vedova?
5. Quante ore al giorno ha lavorato per anni?
6. Che cosa ha fatto per i figli?
7. E per i numerosi nipotini?
8. Ha anche fatto qualcosa per la società?
9. Dove passa la sua vecchiaia?

Utilizzando le risposte date, raccontate la vita della signora Gioia:

La signora Gioia ....

Rispondete alle domande:

1. Che tipo di vita ha vissuto la signora Gioia?
2. Che sentimento provoca il racconto della signora Gioia nella signora Fernanda?
3. Se fosse possibile, alla signora Gioia piacerebbe rivivere la sua vita?

Leggete gli annunci e, dopo aver ascoltato il testo, individuate a chi telefona il signor Moretti:

Modena: Buona manualità per confezioni e idee-regalo natalizie. Daniela Miari c/o Alberto Cavicchioli.
Telefono 059/223329

Roma: Interessata a lavoro di correzione bozze, da eseguire presso proprio domicilio. Giuseppina Faraone - via Colli della Serpentara - 00139 Roma. Tel. 06/8803849

Pisa: Esperto cuoco esamina proposte di lavoro presso alberghi, ristoranti, case private. Nicola Petrongolo - via di Palazzetto, 7/A - 56017 S. Giuliano T. (Pi). Telefono 050/817111 - fax 818611

Pescara: Ragazza 28enne ragioniera - programmatore Cobol - esaminerebbe proposte di lavoro part-time solo ore pomeridiane. Massima serietà. Claudia Tenaglia - via della Porta, 37 - 65129 Pescara. Tel. 085/61879

Unità 18

A. *Trasformate secondo il modello:*

> Gli studenti stimano molto questo professore.
> Questo professore è stimato molto dagli studenti.

1. Molti seguiranno questa partita.
   ....
2. La gente considera il signor Rossi molto serio.
   ....
3. La Fiat fabbrica una nuova «500».
   ....
4. Molte persone seguono questi programmi.
   ....
5. Costruiranno il ponte sullo stretto di Messina.
   ....
6. Questa malattia colpisce molte persone.
   ....

B. *Trasformate secondo il modello:*

> La polizia ha fermato l'assassino.
> L'assassino è stato fermato dalla polizia.

1. Un killer ha ucciso due persone nel centro di Bologna.
   ....
2. Un violento terremoto ha distrutto la città.
   ....
3. Due ladri giovanissimi hanno svaligiato la casa dei signori Rossi.
   ....
4. La polizia ha arrestato sei persone per la rapina alla banca.
   ....
5. Un uomo ha derubato la signora Bianchi vicino a casa.
   ....
6. I rapinatori hanno preso in ostaggio due persone.
   ....

C. *Trasformate secondo il modello:*

> Chi musicò la *Bohème*? (Giacomo Puccini)
> La *Bohème* fu musicata da Giacomo Puccini.
> La *Bohème* venne musicata da Giacomo Puccini.

1. Chi dipinse *La Gioconda*? (Leonardo da Vinci)
   ....
   ....

2. Chi compose *Il barbiere di Siviglia*? (Gioacchino Rossini)

....

....

3. Chi scrisse la poesia *L'infinito*? (Giacomo Leopardi)

....

....

4. Chi scoprì l'America? (Cristoforo Colombo)

....

....

5. Chi inventò il telegrafo senza fili? (Gugliemo Marconi)

....

....

6. Chi scoprì il vaccino contro la poliomielite? (Albert Bruce Sabin)

....

....

D. *Volgete dalla forma attiva alla forma passiva:*

1. Due anni fa condannarono Walter Rossi all'ergastolo.

....

2. Il telegiornale darà questa notizia nell'edizione della notte.

....

3. Molta gente ha visto questo film.

....

4. Inaugureranno un nuovo ristorante la settimana prossima.

....

5. Tutti considerano Maria molto bella.

....

6. I poliziotti raggiunsero l'assassino poco dopo il delitto.

....

7. Porteranno subito i ladri in prigione.

....

8. Hanno promosso tutti gli studenti.

....

9. Hanno diffuso la notizia troppo tardi.

....

10. Consegneranno il pacco a domicilio.

....

E. *Trasformate secondo il modello:*

Questo vino è prodotto in Italia.
Questo vino si produce in Italia.

1. Quest'olio è venduto al supermercato.

....

2. Questa macchina è fabbricata in Francia.

....

3. Questi vestiti sono confezionati a Taiwan.

....

4. Questi vini sono venduti molto all'estero.

....

5. Queste biciclette sono fabbricate in Italia.

....

6. Questi tortellini sono prodotti a Modena.

....

F. *Rispondete secondo il modello:*

Ci vuole molto tempo per finire questo lavoro?
No, si può finire in poco tempo.

1. Ci vuole molto tempo per scrivere questa lettera?

....

2. Ci vuole molto tempo per tradurre questo documento?

....

3. Ci vuole molto tempo per leggere questa relazione?

....

4. Ci vuole molto tempo per cambiare la gomma?

....

5. Ci vuole molto tempo per riparare il motore?

....

6. Ci vuole molto tempo per lavare la macchina?

....

G. *Trasformate secondo il modello:*

In Italia / visitare / molti musei
In Italia si possono visitare molti musei.

1. A Firenze / vedere / molti turisti

....

2. A Perugia / incontrare / molti stranieri

....

3. Sulle Alpi / fare / stupende passeggiate

....

4. In Italia / mangiare / ottimi spaghetti

....

5. A Napoli / mangiare / pizze squisite

....

6. In Italia / bere / vini di qualità

....

H. *Trasformate secondo il modello:*

Il parmigiano deve essere conservato in luogo fresco ed asciutto.
Il parmigiano va conservato in luogo fresco ed asciutto.

1. La pasta deve essere mangiata al dente.

....

2. I tortellini devono essere conditi abbondantemente.

....

3. I formaggi devono essere conservati in luogo fresco.

....

4. Questo pulsante deve essere premuto dopo la registrazione.

....

5. La cassetta deve essere inserita subito.

....

6. L'aspirina effervescente deve essere sciolta nell'acqua.

....

I. *Rispondete secondo il modello:*

Quando devo scrivere la lettera?
Signorina, la lettera va scritta subito!

1. Quando devo spedire il pacco?
....
2. Quando devo imbucare le lettere?
....
3. Quando devo tradurre quei documenti?
....
4. Quando devo sostituire il nastro?
....
5. Quando devo fare i fax?
....
6. Quando devo leggere quel documento?
....

L. *Trasformate in passive le forme attive sottolineate:*

Strano ma vero!

Nel '600 vendevano il caffè anche nelle farmacie, come medicina.

Negli Stati Uniti hanno sperimentato un nuovo tipo di bicicletta che funziona elettricamente.

A Sonia Klicevic, un'attempata signorina di Praga, hanno vietato l'ingresso a tutte le biblioteche della città. Motivo: scriveva il suo numero telefonico su tutte le pagine dei libri presi in prestito, nella speranza di poter così trovare la sua anima gemella.

Hanno calcolato che nell'arco della vita ogni cittadino statunitense cambia in media la propria residenza una quindicina di volte.

Secondo quanto dice Aristotele, nell'antica Grecia per raffreddare i cibi usavano la neve e il ghiaccio conservati fino alla stagione calda in profondi pozzi.

(Adatt. da «La settimana enigmistica»)

In una gara di pesca nelle acque del Mare del Nord, in Inghilterra, hanno assegnato il primo premio ad un pescatore che ha catturato un pesce poco più grande di un'acciuga. Il fatto è che, fra gli altri 220 partecipanti alla gara, solo 12 hanno pescato qualcosa, ma di dimensioni ancora minori.

Negli Stati Uniti hanno sperimentato finora circa 28.000 diversi metodi per dimagrire.

M. *Trasformate i seguenti titoli di giornale in una frase con il verbo alla forma passiva, secondo il modello:*

Arresto di Maradona a Buenos Aires.
Maradona è stato arrestato a Buenos Aires.

1. Inaugurazione della mostra su Tiziano a Venezia.
....
2. Chiusura al traffico del centro storico a Firenze.
....
3. Apertura di un nuovo tratto dell'Autostrada del Sole.
....
4. Ritrovamento di un sacchetto di gioielli a Roma vicino alla stazione.
....
5. Rinvio della festa del PDS.
....
6. Omicidio di un giovane drogato a Bologna.
....
7. Furto di dieci autoradio in un parcheggio alla periferia di Milano.
....
8. Interruzione della partita Italia-Ungheria a causa del maltempo.
....
9. Accusa di spionaggio per quattro cittadini americani.
....
10. Italia-Argentina. Sconfitta della squadra italiana.
....

N. *Completate con le preposizioni:*

1. Giorgio abita .... una villetta .... periferia .... Milano.
2. Maria è molto amata .... genitori e .... amici.
3. Questo albergo si trova .... dieci chilometri .... Firenze.
4. La villa .... Sara è circondata .... un bel giardino.
5. I signori Bianchi sono stati derubati .... due uomini .... i baffi.

6. .... Italia, ... Alpi, ci sono splendidi sentieri.
7. Questo vino va servito .... temperatura ambiente.
8. Preferisco mangiare gli spaghetti .... dente.
9. Dovete prendere sempre l'aspirina .... stomaco pieno.
10. Questo esercizio deve essere fatto .... pochi minuti.
11. Giacomo Leopardi è considerato .... tutti un grande poeta.
12. Abbiamo perso il treno .... pochi minuti: il treno è partito .... dieci e diciannove e noi siamo arrivati .... binario .... dieci e venticinque.

O. *Completate usando il «si» passivante:*

Quante cose si fanno a Natale e a Capodanno!

1. ....
l'albero di Natale.

2. ....
il presepe.

3. ....
i biglietti d'auguri.

4. ....
i regali sotto l'albero.

5. ....
il vischio agli amici.

6. ....
le «stelle di Natale».

7. ....
la tavola con una tovaglia natalizia.

8. ....
i tortellini e il tacchino.

9. ....
il panettone e il pandoro.

10. Il 31 dicembre ....
.... la mezzanotte tutti insieme.

11. A mezzanotte .... un brindisi con lo spumante.

12. .... i fuochi d'artificio.

Il panettone

Panettone significa Natale non solo a Milano, dove è nato, ma in tutto il mondo. L'abitudine di prepararlo tutti insieme, nella notte tra il 24 e il 25 dicembre, risale all'anno Mille. A quel tempo il capofamiglia aveva il compito di tagliare e distribuire ai suoi familiari una fetta di «pan grande»: un modo semplice e bello per augurarsi buona fortuna.

Col tempo questo dolce cambiò nome e divenne «pan de ton», cioè pane importante, da mangiare nelle grandi occasioni, come il Natale.

C'è poi una leggenda, forse più dolce e romantica, sull'origine del panettone. Un povero garzone di fornaio, Toni, era innamorato della figlia del padrone; poiché non aveva la possibilità di fare regali alla sua bella, aggiunse alla pasta per il pane uova e uvette, le dette una forma particolare a cilindro e regalò questo dolce alla ragazza. Da questo atto d'amore nacque il «pan de Toni», il nostro panettone.

Rispondete alle domande:

1. Dove è nato il panettone?
2. Che cosa faceva un tempo il capofamiglia?
3. Qual è la leggenda sull'origine del panettone?

Il ponte più lungo

Il ponte sullo stretto di Messina, che collegherà la Sicilia al continente, si farà. È stato annunciato ufficialmente alla presentazione del progetto.
Sarà il più lungo ponte sospeso del mondo e la più colossale opera architettonica italiana: un ponte lungo circa 4 chilometri, sospeso sul mare a 64 metri di altezza. Ci saranno quattro corsie per le auto e una ferrovia a due binari.
Per la costruzione ci vorranno almeno dieci anni e la spesa sarà di circa 10.000 miliardi. Il Ministero dell'Ambiente ha già esaminato il progetto: sulla sicurezza del ponte non ci sono preoccupazioni, potrà infatti sopportare senza problemi il forte vento di scirocco o eventuali scosse di terremoto.

(Adatt. da «Qui Touring», aprile 1991)

Dite quali sono:

- i dati tecnici del ponte
- i tempi e i costi per la realizzazione del progetto
- gli eventuali problemi di sicurezza

Completate con i verbi alla forma passiva:

1. Il ponte sullo stretto di Messina (costruire) .... sicuramente.
2. Il progetto (presentare) .... ufficialmente.
3. Per la costruzione (spendere) .... circa 10.000 miliardi.
4. Il progetto (esaminare) .... dal Ministero dell'Ambiente.

Ascoltate il testo e dite:

1. quando è successo il fatto
2. dove
3. quanti erano i ladri
4. che cosa è stato rubato
5. se i ladri sono riusciti a fuggire

Unità 19

A. *Trasformate secondo il modello:*

> Ogni giorno, quando esco di casa, incontro Chiara.
> Ogni giorno, uscendo di casa, incontro Chiara.
> Anche ieri, uscendo di casa, ho incontrato Chiara.

1. Ogni giorno, quando faccio colazione, ascolto la radio.
....
....
2. Ogni giorno, quando aspetto l'autobus, leggo il giornale.
....
....
3. Ogni giorno, quando telefono, guardo il panorama dalla finestra dell'ufficio.
....
....
4. Ogni giorno, quando studio, ascolto la musica.
....
....
5. Ogni giorno, quando passeggio per il centro, guardo le vetrine dei negozi.
....
....
6. Ogni giorno, quando mangio, guardo la TV.
....
....

B. *Trasformate secondo il modello:*

> Poiché non ha tempo, non viene con noi.
> Non avendo tempo, non viene con noi.

1. Poiché siamo stanchi, torniamo a casa.
....
2. Poiché dovranno lavorare in Francia, studieranno il francese.
....
3. Poiché vuole prendere un bel voto all'esame, Maria studia tutto il giorno.
....
4. Poiché voglio imparare bene il tedesco, vado un anno in Germania.
....
5. Poiché non ho fame, mangio solo un po' di frutta.
....
6. Poiché non riesco a vedere bene da qui, cerco un posto migliore.
....

C. *Trasformate secondo il modello:*

Poiché non aveva tempo, Carlo non è venuto con noi.
Non avendo tempo, Carlo non è venuto con noi.

1. Poiché non conoscevo bene il marito di Anna, credevo che fosse antipatico.
2. Poiché stavo bene in quella città, ho deciso di fermarmi a lungo.
3. Poiché non potevo uscire, ho avvertito Lucia per telefono di non aspettarmi.
4. Poiché non era ancora guarito, Aldo non è tornato in ufficio.
5. Poiché non sapevo che fare, sono entrato nel primo cinema che ho trovato.
6. Poiché non vedevo Pina da molto tempo, ho deciso di andare a trovarla.

D. *Rispondete secondo il modello:*

Come te l'ha detto? (sorridere)
Me l'ha detto sorridendo.

1. Come te l'ha spiegato? (piangere)
2. Come te l'ha raccontato? (ridere)
3. Come te l'ha detto? (scherzare)
4. Come è uscito? (correre)
5. Come è entrato? (brontolare)
6. Come ti ha salutato? (togliersi il cappello)
7. Come è andato via? (sbattere la porta)
   me l'ha detto sbattendo la porta
8. Come te l'ha detto? (fare l'occhiolino)
   Me l'ha detto fa

E. *Trasformate secondo il modello:*

Poiché avevo finito i soldi, non sono andato al ristorante.
Avendo finito i soldi, non sono andato al ristorante.

1. Poiché aveva fumato troppo, si è sentito male.
   avendo finito i
2. Poiché aveva comprato un vestito nuovo, voleva andare in discoteca.
   avendo comprato
3. Poiché non avevamo preso l'ombrello, ci siamo bagnati tutti.
   non Avendo perso

4. Poiché avevamo camminato per più di due ore, ci siamo seduti sull'erba per fare uno spuntino.
....
5. Poiché avevo bevuto troppa birra, non potevo guidare la macchina.
....
6. Poiché erano venuti a piedi, sono arrivati in ritardo.
....
7. Poiché ero stata malata, non sono andata a scuola.
....
8. Poiché avevo guidato tutta la notte, ho dovuto fermarmi un po' prima di continuare il viaggio.
....

F. *Completate secondo l'esempio:*

1. Ieri Antonio è entrato in casa
– sbattendo la porta
– gridando
– tenendo un pacco in mano
– fumando un sigaro

2. Ho incontrato il signor Galli
– facendo la fila alla posta
....
....
....

3. Mi sono fatto male ad una mano
– tagliando il pane
....
....
....

4. Di solito mi rilasso molto
– passeggiando in campagna
....
....
....

5. Clara è caduta
– correndo in giardino
....
....
....

6. Ci teniamo in forma
– mangiando cibi integrali
....
....
....

G. *Trasformate secondo il modello:*

> Ho mangiato e sono uscito.
> Dopo aver mangiato, sono uscito.

1. Ho studiato e ho fatto un giro in centro.
....
2. Sono tornata a casa e ho preparato la cena.
....
3. Sono arrivato in ufficio e ho dettato una lettera alla segretaria.
....
4. Antonio ha preso un cappuccino e ha mangiato una pasta.
....
5. Valeria ha fatto ginnastica e ha fatto una doccia.
....
6. Il professore è entrato in classe e ha salutato gli studenti.
....

7. Ho aspettato un'ora e sono andato via.

....

8. Abbiamo fatto un giro per i negozi e siamo tornate a casa.

....

9. I miei amici sono tornati dalle vacanze e si sono ammalati.

....

10. Mi sono alzata e ho fatto un'abbondante colazione.

....

11. Patrizia ha sentito la notizia alla radio e mi ha subito telefonato.

....

12. Ho parlato con Mario e ho capito che aveva ragione.

....

H. *Trasformate secondo il modello:*

> Finisco di studiare ed esco.
> Prima di uscire, finisco di studiare.

1. Fanno il biglietto e partono.

....

2. Faccio la spesa e torno a casa.

....

3. Mangia e telefona a Carlo.

....

4. Penso a lungo e rispondo.

....

5. Prende il caffè e fuma una sigaretta.

....

6. Ci prepariamo bene e diamo l'esame.

....

● ● ● ● ● ● ● ● ● ● ● ● ● ● ●

Un incontro

Un uomo una sera torna a casa in macchina da un viaggio di lavoro. È molto tardi, sono forse già le due di notte, ma lui non ha fretta, perché sua moglie e i suoi figli non lo aspettano e stanno già dormendo.
Dopo aver fatto qualche chilometro sull'autostrada, vede un distinto signore fermo al lato della strada con l'auto in panne; poiché conosce abbastanza bene i motori, decide di fermarsi e di dargli una mano.
Dopo aver aggiustato la macchina, riconosce l'automobilista: si tratta del famoso attore Marcello Mastroianni. I due si salutano, uno pieno di ammirazione, l'altro pieno di gratitudine, e, dopo essersi salutati, ripartono, diretti alle rispettive destinazioni.
Qualche giorno dopo l'uomo trova...

(Adatt. da *99 leggende urbane*, a cura di M.T. Carbone, Mondadori)

Continuate la storia e trovate un finale:

....
....
....
....
....
....

Completate con le battute mancanti il dialogo tra l'uomo del racconto e Marcello Mastroianni:

■ Buonasera... Serve una mano?
● ....
■ ....?
● Sì, sono proprio Mastroianni. Come vede, anche a me può capitare di rimanere a piedi...
■ ....?
● Magari!... Se ne intende di motori?
■ ....
● Allora... guardi... Non so che cosa sia successo...
■ ....?
● Sì, sì,... ho fatto il pieno all'ultima stazione di servizio...
■ ....?
● Le candele? Non lo so... non so nemmeno da che parte si trovano!
■ Ecco, ho trovato..., le candele sono sporche...
● ....?
■ No, niente di grave... fra un minuto può ripartire...
● ....
■ Non mi deve ringraziare... Per me è stato un onore essere utile ad un attore bravo come Lei...
● Ma senza di Lei non so proprio come avrei fatto... Devo trovare il modo per ringraziarLa!
■ ....
● Grazie ancora e arrivederci...
■ ....

Raccontiamo...

Cominciate a raccontare una storia (una storia vera, un fatto curioso, un fatto di cronaca, una favola, ecc.). Ad un certo punto interrompetevi:

1. *gli altri studenti, facendo domande, dovranno indovinare il finale della storia;*

2. *gli altri studenti, uno dopo l'altro, completano la storia, inventando il finale.*

Tutto in una notte. Offre Borsci

Prendere il primo treno per Parigi, cenare da Chez-Maxim e poi godersi la notte al Crazy Horse, al Moulin Rouge, alle Folies Bergeres... Volare a Montecarlo e fare l'alba giocando alla roulette del casinò più famoso del mondo... Oppure: realizzare il sogno che preferite. Tutto offerto da Borsci. Con il grande concorso «Tutto in una notte. Offre Borsci», i vostri sogni diventano realtà e, dal tramonto all'alba, potrete spendere come meglio credete ben 20 milioni, vivendo la magia di una notte indimenticabile. Partecipare è semplice: basta acquistare una bottiglia di Elisir S. Marzano o Caf Caffè o Ile de Mandara e staccare ed inviare la prova d'acquisto inserita nel tappo. I quattro fortunati vincitori potranno realizzare i loro sogni per una notte: le estrazioni avverranno il 10 aprile, il 10 giugno, il 28 agosto, il 10 ottobre per le prove di acquisto pervenute rispettivamente entro il 31 marzo, 31 maggio, 31 luglio, 30 settembre 1991. I non estratti di ciascuna estrazione parteciperanno comunque alle successive. Il concorso inizia il 1° febbraio 1991 e sarà valido fino al 30 settembre 1991. Dunque, datevi da fare: acquistate Elisir S. Marzano, Caf Caffè e Ile de Mandara: c'è tutta una notte, offerta da Borsci, che vi aspetta.

Rispondete alle seguenti domande:

1. Che cosa è possibile fare con il concorso Borsci?

....

....

....

....

....

....

2. In quanto tempo è possibile spendere i 20 milioni di premio?

....

3. Che cosa si deve fare per partecipare al concorso?

....

....

4. Fino a quando durerà il concorso?

....

5. Quando ci saranno le estrazioni?

....

I. *Completate con le preposizioni:*

1. Giulio è uscito .... casa .... sette, ... andare .... stazione .... prendere il treno .... sette e venti.
2. Stamattina non sono riuscito .... alzarmi .... tempo .... prendere l'autobus .... otto.
3. Paolo è uscito .... stazione tenendo .... mano un'enorme valigia .... pelle.
4. La bambina è corsa .... casa tenendo .... mano un mazzo .... fiori .... la mamma.
5. Dopo aver guardato .... tasca .... giacca, mi sono accorta .... non avere il portafoglio.
6. Prima .... uscire .... casa, dobbiamo finire .... mettere .... ordine la camera .... letto.
7. Dopo aver fatto quattro passi .... aria aperta, dovreste già sentirvi .... forma.
8. Dopo aver dato l'esame .... chimica, Nicola andrà qualche giorno .... mare.
9. I signori Bianchi vanno .... estero .... motivi .... lavoro cinque o sei volte .... anno.
10. Giulio guadagna due milioni .... mese.
11. .... Natale andremo .... Stati Uniti .... trovare un vecchio zio.
12. Prima .... continuare il viaggio, ci siamo fermati .... un'area .... servizio .... fare benzina e .... riposarci un po'.

● ● ● ● ● ● ● ● ● ● ● ● ● ● ●

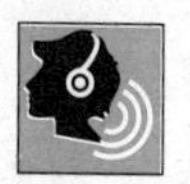 

Ascoltate il testo e dite:

1. – chi sono i personaggi
2. – la loro città
3. – il loro lavoro
4. – dove lei lo incontra
5. – dove era diretta lei
6. – dove era diretto lui
7. – come lei si è vendicata
8. – cosa trova lui al ritorno

Scrivete una breve lettera ad un amico nella quale raccontate un episodio che vi ha sorpreso. Indicate:

– come siete venuti a conoscenza della vicenda
– quando e dove è avvenuta
– che cosa è successo
– le ragioni della vostra sorpresa

test 4

È donna, fa il pompiere

VERONA. Per diventare pompiere ha fatto di tutto e alla fine c'è riuscita. Barbara Zampieri, 27 anni, è la prima vigile del fuoco in Italia. Capelli neri e occhi celesti, Barbara abita a Verona, appena fuori città. Il padre Salvino, oggi in pensione, ha fatto il pompiere per 37 anni, il fratello Mauro è vigile del fuoco da 10 anni, il nipotino Federico gioca con modellini di autopompe. Barbara ha cominciato nello stesso modo: «Questo mestiere l'avevo nel sangue fin da piccola».
Nel concorso per 527 posti che si è svolto a Roma, è stata la sola donna, fra le pochissime che si sono presentate, a superare i test attitudinali. Non a caso fino a ieri lavorava come idraulico.
Oggi Barbara tornerà a Roma per frequentare un corso di sei mesi valido anche come periodo di prova. Ma tutti sperano che poi torni a lavorare a Verona. Barbara dovrà tornarci per forza perché lì ad attenderla c'è il fidanzato. «Lui ha condiviso la scelta che ho fatto e, appena possibile, ci sposeremo».
Il primo stipendio di Barbara sarà circa un milione e seicentomila lire. Considerati i rischi che corre non è molto. «Ma se riuscirò a salvare la vita a qualcuno, vorrà dire che ne è valsa la pena».

(Adatt. da «Corriere della Sera», 3 dicembre 1991)

A. *Indicate la frase corretta relativa al testo letto:*

1. Per Barbara diventare pompiere è stato
a) facile
b) difficile
c) un gioco
d) semplicissimo

2. Barbara abita
a) in montagna
b) al centro di Verona
c) alla periferia di Verona
d) a 20 chilometri da Verona

3. Barbara ha scelto questo mestiere
a) per passione
b) per necessità
c) per caso
d) per i soldi

4. Al concorso di Roma
a) Barbara era la sola donna
b) c'erano molte donne
c) c'erano soltanto donne
d) c'erano poche donne

5. Barbara tornerà a Roma per
a) fare un altro concorso
b) trascorrere una vacanza
c) fare una prova d'esame
d) fare un corso

6. Barbara
a) non tornerà più a Verona
b) tornerà a Verona appena possibile
c) rimarrà a Roma
d) andrà a lavorare vicino a Roma

7. All'inizio Barbara
a) non guadagnerà niente
b) guadagnerà pochissimo
c) guadagnerà molto
d) non guadagnerà molto

8. Barbara spera di
a) essere utile a qualcuno
b) guadagnare molto
c) fare carriera
d) trovare un altro lavoro

B. *Rispondete alle domande:*

1. Chi è Barbara Zampieri?
2. Dove abita?
3. Perché ha deciso di fare il pompiere?
4. Com'è andato il concorso a Roma?
5. Perché deve tornare a Roma?
6. Perché Barbara tornerà sicuramente a Verona?
7. Quanto guadagnerà Barbara all'inizio?

C. *Completate con i verbi indicati fra parentesi:*

Barbara parla con un giornalista:

«(Partecipare) .... al concorso circa un mese fa. (Arrivare) .... a Roma la mattina presto, (prendere) .... un taxi e (andare) .... a piazza Cavour. Quando (arrivare) .... (esserci) .... già altre persone: alcune (leggere) .... il giornale, altre (chiacchierare) ...., altre (fumare) .... nervosamente. Alle 9 in punto (noi-entrare) .... in una grande sala e l'esame (cominciare) .... (Io-essere) .... un po' nervosa, poi la paura (passare) .... e (completare) .... le prove senza molte difficoltà. Fra qualche giorno (tornare) .... a Roma e (frequentare) .... un corso di sei mesi».

D. *Completate:*

1. Prima dell'esame il padre dice a Barbara:

«...» (di non preoccuparsi)
«...» (di non avere fretta)
«...» (di pensare bene prima di rispondere)

2. Durante la prova, il commissario d'esame dice a Barbara:

«...» (di stare tranquilla)
«...» (di sedersi dove vuole)
«...» (di fare tutto con la massima tranquillità)

E. *Completate:*

Barbara non è molto sicura di aver fatto la scelta giusta. Il fidanzato le dà alcuni consigli:
«Io, al posto tuo, ...» (continuare su questa strada)
«Se fossi in te, ...» (non preoccuparsi troppo)
«.. nelle tue capacità» (dovere avere più fiducia)

F. *Completate i seguenti dialoghi:*

Dopo l'esame Barbara telefona al fidanzato:
Barbara: Finalmente ho finito...
Fidanzato: Com'è andato l'esame?
Barbara: Benissimo!
Fidanzato: Sono contento che ....
Vorrei anche che tu ....

Barbara parla con il fratello:
Fratello: Complimenti! Sei stata proprio brava!
Barbara: Grazie... ma non pensavo che l'esame ....

G. *Completate il dialogo con le battute mancanti:*

Barbara è tornata a Verona e parla con un'amica, Teresa:
Teresa: ....?
Barbara: Sono stata a Roma.
Teresa: ....?
Barbara: Ho partecipato ad un concorso per vigili del fuoco.
Teresa: ....?
Barbara: Eravamo in tutto circa 3000 persone...
Teresa: ....?
Barbara: 3000 persone... hai capito bene...
Teresa: ....??!!
Barbara: Non devi meravigliarti troppo... In Italia i concorsi pubblici sono sempre così affollati!

H. *Completate con le preposizioni:*

Barbara vuole tornare .... Verona appena possibile. Lei e il fidanzato hanno deciso ...... sposarsi presto. Andranno .... abitare .... un appartamento non lontano .... casa .... cui Barbara vive attualmente.
Hanno già cominciato .... arredare la loro futura casa, hanno comprato un divano .... pelle .... il salotto, un tappeto persiano .... la camera .... letto e un grande televisore .... colori.

I. *Completate:*

1. Dopo l'esame Barbara ha subito telefonato al padre, ... ha detto che era andato tutto bene, ... ha pregat....... di avvertire anche il fratello, ... ha ringraziat...... per i consigli che lui .... aveva sempre dato.
2. A Roma Barbara ha comprato un regalo per il nipotino, e quando è tornata a Verona .... ha subito portat....... .
3. Roma è una bellissima città; Barbara .... deve rimanere sei mesi per frequentare un corso; si trova bene, ma .... manca molto Verona e .... sente la nostalgia.

Leggete gli annunci e, dopo aver ascoltato il testo, individuate a quale numero è stata fatta la telefonata:

CERCASI animatori con esperienza e giovani da inserire nel settore dell'animazione turistica. Tel. Carlo o.p. al 0744/281309

CAMERIERE/A cercasi per ristorante al centro età sotto i 21 anni per lavoro fisso. Tel. ore 13-17 al 753219

CERCASI cuoco per lavoro continuativo. Tel. al 5288748

AGENZIA inglese offre lavoro a Londra in ristoranti alberghi, anche alloggio, corsi di inglese, biglietteria. Tel. Nicoletta al 06/3668154

LAUREANDA in lingue impartisce lezioni di inglese tedesco per bambini di scuola elementare e media. Tel. al 5847527

Descrivete la foto:

(Amaro medicinale Giuliani)

Dite quali sono, secondo voi, i vantaggi e gli svantaggi per un uomo e per una donna rispetto al lavoro.

Indice

Unità 1

Unità 2

Unità 3

Esercizi	Presente indicativo delle tre coniugazioni, p. 28, 31, 33, 34 Presente indicativo di: – **andare**, p. 29, 30 – **venire**, p. 29 – **potere**, p. 32 – **volere**, p. 32, 33 – **dovere**, p. 33 Preposizioni, p. 39
Attività di comprensione orale	❶ p. 38 ❷ p. 38
Attività di produzione orale	*La giornata di Piero*, p. 39 *La settimana di Valeria*, p. 40 *La domenica di Lucienne*, p. 41 Lavoro a coppie, p. 36
Attività di comprensione scritta	*Il lavoro di Anna*, p. 35 *Il tempo libero di Maria*, p. 37
Attività di produzione scritta	*Inviti*, p. 34

Unità 4

Esercizi	Passato prossimo, p. 43, 44, 45, 46, 47 **Ci** avverbio di luogo, p. 47, 48 Discorso indiretto, p. 57, 58 Plurale di nomi e aggettivi, p. 57 Preposizioni, p. 58
Attività di comprensione orale	p. 56
Attività di produzione orale	*Il signor Rossi è rimasto solo*, p. 48 *Un fine-settimana di Fausto e Marina*, p. 50 Lavoro a coppie, p. 53 *Raccontiamo...*, p. 54 *La vacanza più bella*, p. 56
Attività di comprensione scritta	*Il Pendolino d'estate costa meno*, p. 54 *Le vacanze di Giorgio e Carla*, p. 55
Attività di produzione scritta	*Raccontiamo...*, p. 54

Unità 5

Unità 6

Unità 7

Esercizi	Verbi riflessivi, reciproci, intransitivi pronominali: – con tempi semplici, p. 79, 80, 82 – con tempi composti, p. 81, 82 Tempi dell'indicativo: – *Paola e Antonio*, p. 83 Preposizioni, p. 83
Attività di comprensione orale	p. 87
Attività di produzione orale	*Il risveglio di Giorgio*, p. 85
Attività di comprensione scritta	*La giornata dell'Avvocato*, p. 86 *«Beautiful»*, p. 84
Attività di produzione scritta	*Una lettera*, p. 88

Unità 8

Esercizi	Imperfetto indicativo, p. 89, 90, 91 Trapassato prossimo, p. 92 Tempi dell'indicativo: – *Lettera al Direttore*, p. 95 – *Benetton: il successo è un pull colorato*, p. 102
Attività di comprensione orale	p. 102
Attività di produzione orale	*Descriviamo...*, p. 96 *Raccontiamo...*, p. 99 *Confrontiamo...*, p. 103
Attività di comprensione scritta	*Carmen Llera racconta*, p. 93 *Una gita al lago Trasimeno*, p. 93 *Eravamo così*, p. 101
Attività di produzione scritta	*Raccontiamo...*, p. 97 *Raccontiamo...*, p. 98

Unità 9

Unità 10

Unità 11

Esercizi	Condizionale semplice, p. 132, 133, 135, 136, 138 Condizionale composto, p. 134, 138, 139 Preposizioni, p. 143 Plurale di nomi e aggettivi, p. 143
Attività di comprensione orale	p. 139
Attività di produzione orale	*La macchina nuova*, p. 137 Lavoro a coppie, p. 141 *Confrontiamo...*, p. 144
Attività di comprensione scritta	*Test psicologico: Sei un capo?*, p. 141 *La televisione in Italia*, p. 144
Attività di produzione scritta	*Una serata in casa Baldini*, p. 139

Unità 12

Esercizi	Comparativi, p. 145, 146 Superlativi, p. 147 Pronomi combinati: – con tempi semplici, p. 151, 152, 153, 155 – con tempi composti, p. 153, 154, 155 Preposizioni, p. 155, 156
Attività di comprensione orale	p. 158
Attività di produzione orale	*Un fine-settimana d'agosto*, p. 149
Attività di comprensione scritta	*Roma è la capitale più sicura*, p. 158 *Todi, la città migliore del mondo*, p. 159 *L'autostrada del Sole*, p. 160
Attività di produzione scritta	*Auto sportive*, p. 148 *Regali*, p. 156 *Il tenero Giacomo*, p. 157

Unità 13

Esercizi	Imperativo, p. 161, 162, 163, 165, 166, 167 Imperativo con pronomi, p. 163, 164, 165, 166, 167 Preposizioni, p. 171

Terzo test di profitto	*Vecchietta picchia i parenti per non andare all'ospizio*, p. 190

Unità 16

Esercizi	Congiuntivo presente, p. 193, 194, 195, 196, 197, 198 Congiuntivo passato, p. 195, 196, 197, 198 Congiunzioni + congiuntivo presente e passato, p. 198, 199 Preposizioni, p. 201, 203
Attività di comprensione orale	p. 203
Attività di produzione orale	*Il «lavoro» di Alfredo*, p. 201
Attività di comprensione scritta	*Rispetta l'ambiente!*, p. 200 *Genova, dove il silenzio è d'oro*, p. 204
Attività di produzione scritta	

Unità 17

Esercizi	Congiuntivo imperfetto, p. 206, 207, 208, 209, 210, 211 Congiuntivo trapassato, p. 209, 210, 211 Tempi del congiuntivo e condizionale composto, p. 210, 211, 212, 213 Congiunzioni + congiuntivo imperfetto e trapassato, p. 214 Periodo ipotetico, p. 214, 215, 216, 217, 218 Preposizioni, p. 218
Attività di comprensione orale	p. 219
Attività di produzione orale	p. 213
Attività di comprensione scritta	*Una vita esemplare*, p. 218
Attività di produzione scritta	

Unità 18

Unità 19

Appunti

Appunti

Appunti

Appunti

I disegni sono stati eseguiti dallo studio Chiaroscuro.

Le fotografie sono di:
Archivio Le Monnier – Catalano – Corrivetti – De Bellis – Deidda – Di Vita – Euro Advertising – Ferrovie italiane – Gaillarde – Giannella – Giovannini – Gori – «La Repubblica» – Marzi – Masi – Museo Archeologico, Firenze – Museo di Murlo – Museo Guarnacci, Volterra – Museo Nazionale, Chiusi – Nicolini – Olivetti – Olympia – Pictor – Quilici – Radogna – Rastelli – Rinaldelli – Rossi – SAGEP – STET – Vallinotto – Valtur – Viola.

STAMPATO A FIRENZE
NEGLI STABILIMENTI TIPOLITOGRAFICI
«E. ARIANI» E «L'ARTE DELLA STAMPA»
DELLA S. P. A. ARMANDO PAOLETTI
SETTEMBRE 1997

PUBBLICAZIONI DELL'UNIVERSITÀ ITALIANA PER STRANIERI DI PERUGIA

I. BALDELLI e A. MAZZETTI, **Vocabolario minimo della lingua italiana per stranieri**.

I. BALDELLI e A. MAZZETTI, **Vocabolario minimo della lingua italiana per stranieri**, con dizionarietto italo-somalo.

I. BALDELLI e A. MAZZETTI, **Vocabolario minimo della lingua italiana per stranieri**, con dizionarietto italiano-arabo e arabo-italiano.

I. BALDELLI, A. MAZZETTI, F. MINCIARELLI e M. SILVESTRINI, **Leggere l'italiano**. Letture graduate per stranieri con rielaborazioni di brani e stimoli per la produzione orale e scritta.

I. BALDELLI, A. MAZZETTI, B. M. MARCHESI e M. G. SPITI, **Scrivere in italiano**. Stimoli alla produzione scritta.

E. AMORINI e A. MAZZETTI, **La lingua italiana insegnata agli stranieri**.

A. MAZZETTI e A. COMODI, **Scusi, Lei parla italiano?** Stimoli alla conversazionc per un corso di lingua a livello elementare.

I. BALDELLI, A. MAZZETTI, B. M. MARCHESI, M. G. SPITI e R. STOPPINI, **Parliamone insieme**. Stimoli alla conversazione per un corso di lingua a livello intermedio.

E. AMORINI e A. MAZZETTI, **Lingua e civiltà d'Italia**. Grammatica di livello elementare e intermedio.

G. FREDDI, **L'insegnamento della lingua-cultura italiana all'estero**. Aspetti glottodidattici.

F. LIVERANI BERTINELLI, **«Modo» e «maniera» nella tradizione lessicografica e nell'italiano contemporaneo**.

V. TRENTA LUCARONI, **«Appena», «alquanto» e «quasi» dalla Crusca ad oggi**.

A. MAZZETTI e M. FALCINELLI, **Primo approccio**. Stimoli alla produzione orale e scritta dell'italiano.

A. MAZZETTI, P. MANILI e M. R. BAGIANTI, **Qui Italia più**. Corso di lingua italiana per stranieri. Livello medio.

A. MAZZETTI e B. SERVADIO, **Viaggiando in Italia**. Capire, parlare, leggere e scrivere l'italiano.